colección

LA PEQUEÑA BIBLIOTEC[A]

P9-DLZ-260

•

DEL MISMO AUTOR
EN ESTA COLECCIÓN

La nieve del almirante

Ilona llega con la lluvia

La última escala del tramp steamer

Amirbar

Abdul Bashur, soñador de navíos

Tríptico de mar y de tierra

Un bel morir

•

Álvaro Mutis

Ilona llega con la lluvia

Álvaro Mutis

Ilona llega con la lluvia

GRUPO EDITORIAL NORMA
Barcelona, Buenos Aires, Caracas,Guatemala,
México, Panamá, Quito, San José, San Juan,
San Salvador, Santafé de Bogotá, Santiago

© Álvaro Mutis, 1988
© Editorial Norma S.A., 1996
Apartado 53550, Santafé de Bogotá

Prohibida la reproducción total o parcial de esta obra por cualquier medio sin permiso escrito de la editorial.

Diseño: Camilo Umaña
Fotografía de cubierta: Víctor Robledo

Impreso en Colombia por Cargraphics S.A. -Impresión digital
Printed in Colombia

Este libro se compuso en caracteres Garamond 3 Linotype
ISBN 958-04-3550-2
CC 20914

Qedeshím Qedeshóth*,
personaja, teóloga loca, bronce, aullido
de bronce, ni Agustín de Hipona que
también fue liviano y pecador en África
hubiera hurtado por una noche
el cuerpo a la diáfana fenicia.
Yo pecador me confieso a Dios.

GONZALO ROJAS
Qedeshím Qedeshóth

*En fenicio, cortesana del templo.

"Son amour désintéressé du monde
m'enrichit et m'insufflá une force
invincible pour les jours difficiles"

GORKI
Enfance

Para mi hermano Leopoldo

Ilona llega con la lluvia

CONTENIDO

Al lector

Prefería Maqroll el Gaviero, para relatar a sus amigos, aquellos episodios de su vida adornados con cierto dramatismo, con cierta tensión que podía llegar, a veces, hasta una evidente vena lírica, cuando no desembocar en un misterio con su correspondiente interrogación metafísica y, por ende, de imposible respuesta. Sin embargo, quienes lo conocimos de cerca y por muchos años, sabemos que existían determinados periodos de tan accidentada existencia que, sin carecer por completo de las mencionadas características, caras al relator, se inclinaban más bien hacia un aspecto marginal del personaje, llegando, no pocas veces, a rozar con los lindes que establece el código penal para el buen gobierno de la sociedad, cuando no los rebasaba sin mayores tapujos ni miramientos. La moral, en el caso del Gaviero, era una materia singularmente maleable que él solía ajustar a las circunstancias del presente. No paraba mientes en lo que pudiera depararle el futuro por transgresiones que olvidaba con facilidad; ni las que hubiese cometido en el pasado gravitaban para nada en su conciencia. Pasado y futuro no eran, dicho sea de paso, nociones que pesaran mucho en el ánimo de nuestro hombre. Siempre daba la impresión de que su exclusivo y absorbente propósito era enriquecer el presente con todo lo que se le iba presentando en el camino. Era evidente, y en ello han estado de acuerdo otros que lo conocieron tan bien o mejor que yo, que los decretos, principios, reglamentos y preceptos que, sumados, suelen conocerse como la ley, no tenían para Maqroll mayor sentido ni ocupaban instante alguno de su vida. Eran algo que se aplicaba fuera del ámbito por él fijado a sus asuntos y no tenían por qué distraerlo de sus personales y un tanto caprichosos designios.

En la altamar de sus horas de vino y remembranzas, le escuché a mi amigo relatar ciertas ocurrencias de su vida que no eran las que con mayor frecuencia solía repasar cuando le atacaba la nostalgia, la sed, diría yo más bien, de lo desconocido. Algunas de ellas vienen aquí relatadas usando la voz misma del protagonista. Me parecieron de algún interés para conocer esa otra cara del personaje y tuve buen cuidado de volver con él, a menudo, sobre ellas hasta fijarlas en mi memoria con la inflexión misma de la voz y las divagaciones a que era tan adicto el Gaviero.

De más está decir que no creo que Maqroll guardara para sí estos episodios porque los considerara de suyo inconfesables o penosos por su franca condición marginal. Creo que trataba más bien de no involucrar a otros participantes en peripecias que éstos quisieran ocultar u olvidar por razones de pudor y miedo que, si en el caso del Gaviero no eran válidas, sí, tal vez, en el de ellos. En fin, me doy cuenta de que me he extendido demasiado en esta explicación innecesaria, si no fuera porque la letra impresa tiene un carácter tan definitivamente testimonial y comprometedor, que no es fácil librarla, así, sin mayores preocupaciones, a la atención de los posibles lectores de estas páginas. Era todo lo que quería decir y ahora dejemos hablar a nuestro amigo.

Cristóbal

Cuando vi que la lancha gris del resguardo se acercaba, con la bandera de Panamá tremolando ufana en la popa, supe de inmediato que habíamos llegado al final de nuestra accidentada travesía. Para decir verdad, cada vez que, durante las últimas semanas, atracábamos en un puerto, esperábamos siempre una visita como ésta. Sólo la laxitud con la que en el Caribe se suelen tramitar los asuntos burocráticos nos había mantenido a salvo de tal eventualidad. La embarcación avanzaba por entre una charca gris en la que flotaban restos anónimos de basura y aves muertas que comenzaban a descomponerse. La superficie oleaginosa dejaba paso a la quilla creando una lenta ola que iba a morir perezosamente, un poco más adelante. Estábamos lejos del siempre mudable desorden del mar. Tres funcionarios vestidos de caqui, con amplias manchas de sudor en las axilas y en la espalda, subieron con pomposa lentitud por la escalerilla. El que parecía ser el jefe, un negro de los que allí llaman jamaiquinos por descender de aquéllos que los yanquis importaron de esa isla para ocuparlos en la construcción del canal, nos preguntó en un español informe, sembrado de anglicismos, dónde estaba el capitán del barco. Los conduje hasta el segundo puente y toqué en la puerta del camarote varias veces. Por fin, una voz opaca y cansada contestó: "Que pasen." Los hice entrar y, cerrando la puerta tras ellos, volví al pie de la escalerilla en donde había estado conversando con el contramaestre. El motor de la lancha ronroneaba con inesperadas alteraciones en el ritmo, mientras un calor implacable, que bajaba de un cielo sin nubes, fomentaba el aroma de vegetales en descomposición y del barro de los manglares que se secaban al sol esperando la subida próxima de la marea.

–Aquí termina esto. Ahora, cada cual por su lado y a ver qué pasa –comentó el contramaestre mirando hacia los muelles de Cristóbal como si de allí pudiera venir la respuesta a su inquietud. Cornelius era un holandés regordete, de corta estatura, siempre aspirando una pipa cargada con tabaco de la peor clase. Hablaba un español impecable, enriquecido con las más variadas y pintorescas maldiciones. Parecía que se hubiera propuesto coleccionarlas a lo largo de sus años de navegación por las islas, ya que constituían un auténtico muestrario de la escatología caribeña. Al comenzar nuestro viaje, pareció mostrarme cierta desconfianza nacida de esas susceptibilidades que atacan a los hombres de mar cuando alcanzan algún lugar de mando. Desconfían siempre de todo extraño que parezca invadir lo que ellos consideran como sus dominios. Muy pronto conseguí disolver esta primera actitud del holandés y acabamos estableciendo una relación, distante pero cordial y firme, mantenida gracias a la reconstrucción de anécdotas y experiencias comunes que, o bien remataban en un estruendo de carcajadas o iban a morir contra un telón de nostalgia soñadora y derrotada.

–Wito no tiene cómo escapar al embargo. Es como si lo hubiera buscado desde hace mucho tiempo. Si pierde el barco y, con él, su modo de vida, todo se le terminará arreglando. Será como parar una rutina en la que hace ya mucho tiempo que dejó de creer. Hace tanto que todo esto lo aburre sin remedio. Al menos eso es lo que deduzco de su actitud durante este viaje. Qué piensa usted, Cornelius, que lo conoce mejor. ¿Hace cuánto andan juntos? –yo trataba de mantener el diálogo sin mucha convicción, mientras allá arriba se cumplía la oscura ceremonia judicial que nos amenazaba desde hacía tantas semanas.

–Once años llevamos juntos –contestó el contramaestre–. Lo que le cagó el destino al pobre Wito fue la huida de su hija única con un pastor protestante de Barbados, casado y con seis hijos. Dejó fieles, Iglesia y familia y se llevó la muchacha a Alaska. La pobre, además de fea, es medio sorda. Wito comenzó, entonces, sus negocios descabellados. Se fue enredando en hipotecas que le tienen tomado el barco y creo que una casa en Willemstad. Ya sabe cómo es eso. Abrir un hueco para tapar otro. No es aventurado pensar que estos mierdas llegan justamente para arreglarle el asunto –se alzó de hombros y dando ansiosas chupadas a la pipa miraba hacia el camarote en donde continuaba un diálogo cuyos resultados eran más que predecibles. Al poco rato salieron los uniformados. Guardaron unos papeles en sus portafolios y, saludando con un descuidado golpe de mano en la visera de la gorra, bajaron la escalerilla y subieron a la lancha. Ésta partió rumbo a Cristóbal cortando suavemente el agua de la bahía.

El capitán apareció en la puerta del camarote y me llamó:

"Maqroll, ¿quiere subir un momento, por favor?" Esta vez su voz era firme y tranquila. Entramos y me invitó a tomar asiento frente a la mesa que le servía de escritorio. Era la misma que usábamos para comer. Parecía haberse quitado un peso de encima. De estatura regular, delgado, con facciones afiladas y zorrunas, tenía los ojos casi ocultos por las cejas pobladas, hirsutas y entrecanas. Lo primero que llamaba la atención al verlo era la ausencia del menor rasgo marino. Ningún gesto suyo lo identificaba con los hombres de mar. Era más fácil imaginarlo como bedel en un internado o como profesor de ciencias naturales. Hablaba en forma lenta, precisa, casi pomposa; destacando cada palabra y terminando las frases con una ligera pausa, como si esperara que alguien tomara nota de lo que estaba diciendo. Sin embargo, detrás de esos aires docentes, era fácil distinguir un vago desorden de sentimientos, un afán de esconder algo como una herida secreta y penosa. Esto movía a quienes lo tratábamos desde hacía años, a sentir por él una tibia indulgencia que, por lo demás, nunca desembocaba en una relación honda y duradera. Llevaba impreso en algún lugar de su ser ese signo que distingue a los vencidos y que acaba aislándolos irremediablemente de sus semejantes.

–Pues bien, Maqroll –comenzó a decirme más lento que nunca–, se trata, como usted ya debió suponerlo, del barco. Lo ha embargado un grupo de bancos que tienen sucursales en Panamá –parecía disculparse de antemano. Me hizo sentir esa penosa impresión del que va a escuchar una confidencia que hubiera preferido evitar. Un pequeño ventilador, sujeto a la pared frente a nosotros, zumbaba, girando lentamente, sin conseguir refrescar una atmósfera pesada en la que flotaba el olor a sudor impregnado en la ropa y a colillas trasnochadas–. Ha sucedido al fin –continuó diciéndome– lo que me venía temiendo hace varios meses. He perdido el barco y una casita que tenía en Willemstad. El barco será llevado hasta Panamá por una tripulación contratada por los embargadores. Usted y el contramaestre pueden, si así lo desean, cruzar con ellos el canal y bajar en Panamá. Allá los liquidarán de acuerdo con los términos del contrato de trabajo que firmaron conmigo. Ahora, si prefiere quedarse aquí, ellos lo liquidan de igual forma. Basta con que se los haga saber. Como prefiera.

–Y usted, capitán, qué piensa hacer –le pregunté preocupado por la serena frialdad con la que tomaba las cosas.

–No se preocupe por mí, Maqroll. Es usted muy amable. Ya tengo todo dispuesto para... –y aquí titubeó con un cierto pudor fugaz pero notorio– para seguir adelante. Una de las cosas más gratas de mi vida es haber contado con su amistad. Debo a usted muchas lecciones que a lo mejor ni sospecha. Con ellas me he sostenido con mayor o menor fortuna, pero siempre preservando eso que usted suele llamar "los dones con que nos sorprende la vida". Habría mucho que hablar al respecto, pero creo que ya no es tiempo de confidencias. Además, sospecho que está usted más enterado que yo –se incorporó con cierta brusquedad y me tendió la mano dándome un fuerte apretón en el que trató de poner todo el calor que evitaba en sus palabras. Cuando yo salía, me pidió le dijera a Cornelius que subiera a hablar con él.

Con el contramaestre, Wito se tomó aún menos tiempo que conmigo. Al regresar el holandés, yo estaba absorto mirando hacia el puerto, mientras un sordo agobio crecía dentro de mí a medida que se prolongaba el silencio de esa agua muerta y lodosa. Un silencio que parecía nacer del calor de la tarde iba en aumento a medida que ésta se extendía por el cielo con una tenue neblina nacarada y traicionera. Cornelius se recostó sobre la barandilla de bronce reluciente, dándole la espalda al mar. No hizo comentario alguno sobre su entrevista con el capitán. Sabía que era inútil. Bien poco podía diferir de lo que Wito habló conmigo. Aspiraba su pipa con la premiosa respiración de quien quiere apartar de la mente una idea obsesiva y lacerante.

El disparo sonó como un seco chasquido de madera. La pareja de gaviotas que dormitaba en la antena levantó el vuelo. Un escándalo de alas y graznidos se fue a perder con ellas en el cielo que oscurecía por momentos. Subimos corriendo. Al entrar al camarote nos recibió un intenso olor a pólvora que picaba en la garganta. El capitán, sentado en su silla, se iba escurriendo hacia el suelo. Tenía la mirada vidriosa y perdida de los agonizantes. Un hilillo de sangre bajaba por la sien hasta mezclarse con otros dos que manaban de la nariz. La boca sonreía en un rictus por completo extraño a los gestos usuales de Wito. Sentimos una molestia singular, como si estuviéramos violando la intimidad de un ser que sabíamos ajeno y desconocido. El cuerpo acabó de caer con un ruido sordo mientras el zumbido del ventilador se abría paso por entre el silencio que organiza la muerte cuando quiere indicar su presencia entre los vivos.

Avisamos por radio a las autoridades portuarias, que no tardaron en llegar. Venían en la misma lancha que nos había visitado antes. Esta vez eran tres policías vestidos de blanco y un médico que trataba de acomodarse torpemente la bata, también blanca, intentando ganar con ella un aire medianamente profesional que para nada iba con su aspecto de mulato cumbiambero, crespo y gozador. Las diligencias duraron poco. Los policías bajaron el cadáver metido en una funda de plástico gris. Lo dejaron caer en el fondo de la lancha como si se tratara de un bulto de correos. Cuando se alejaron, la noche había caído por completo. Las luces del puerto se encendieron con sus avisos chillones de neón. La música de cabarets y cantinas comenzaba la ronca y triste fiesta del trópico antillano.

Nos habíamos encontrado en New Orleans, después de muchos años de no saber uno del otro. Yo entré a un almacén en Decatur Street que ostentaba el presuntuoso y engañador letrero de Gourmet Boutique. Se exhibía allí una colección de objetos inútiles e idiotas que pretenden servir en el bar y la cocina; además de una variedad de alimentos y especias de los más diversos orígenes y marcas, siempre sospechosamente parecidas, en su envoltura, a las que brindan como exclusivas algunas tiendas de Londres, París o New York. Quería comprar un poco de jengibre azucarado.

Una de mis pasiones secretas que mantengo aun en las peores épocas de penuria. El precio indicado en el frasco era tan alto que fui a la caja para cerciorarme de que era correcto. Allí estaba Wito pagando dos cajas de té Darjeeling, su bebida favorita. Antes de decirnos nada, nos miramos sonriendo con la vieja complicidad de quienes conocen sus mutuas debilidades y se sorprenden en flagrante delito de satisfacerlas. Wito se empeñó en pagar mi jengibre, tras una untuosa explicación del dueño de la tienda sobre el precio inmoderado que aparecía en el frasco. Tenía ese acento de Brooklyn que nos advierte, con anticipación, que llevamos todas las de perder. Salimos juntos. Mi amigo, después de manifestar las mayores dudas sobre la autenticidad tanto del té como del jengibre de marras, me invitó a comer con él. Tenía un cocinero de Jamaica que preparaba una pierna de cerdo en ciruelas digna de todos los honores. El barco estaba atracado en los muelles de Bienville, justo enfrente a la tienda donde nos habíamos encontrado. Era un carguero pintado de un color amarillo rabioso, como sólo he visto en la gorguera de los tucanes del Carare. El puente de mando y el de los camarotes y oficinas eran de un blanco que necesitaba, hacía tiempo, una nueva mano de pintura. El nombre del buque no guardaba proporción con su modesto tonelaje y su aún más modesta apariencia. Se llamaba el *Hansa Stern*. Así lo había bautizado Susana, la esposa de mi amigo. Ella había vivido, durante su juventud, algún tiempo en Hamburgo y guardaba por las grandes ciudades del Báltico una admiración que las magnificaba notablemente. Wito no quiso cambiar el nombre por respeto a su memoria. Toda explicación salía sobrando, pero ése era uno de sus típicos rasgos de carácter: un afán profesoral y muy germano de explicarlo todo con innecesaria precisión, como si el resto de los humanos necesitaran de un apoyo adicional para entender el mundo.

Winfried Geltern. Su historia bien merecía todo un libro. Estaba tan llena de episodios, sobre algunos de los cuales solía pasar como sobre ascuas, que uno se perdía en su laberíntica complejidad. En los puertos y rincones del Caribe se le conoció siempre como Wito. Vaya a saberse dónde había nacido la absurda reducción de un nombre de tan altiva prosapia vikinga. En esos parajes todo acaba reduciéndose a proporciones que fluctúan entre el carnaval desvaído y la triste ironía nacida del clima de las islas y la mezquina y arrasadora sordidez de la costa. El perfil zorruno del rostro y el continente de profesor despistado de nuestro personaje impidieron, con cierta justicia escénica, que se agregara a su apodo el título de capitán de navío. Le decían Wito, así, sin más. Él nunca se dio por enterado de lo ridículo del improbable diminutivo. Había nacido en Dantzig, pero su familia era de origen wetsfaliano. Hablaba todos los idiomas de la tierra con una fluidez desarmante. Jamás narraba anécdotas ni detalles relacionados con su vida en el mar. Era como si éste fuera ajeno a sus hábitos, a sus ideas y preferencias. Caminaba en forma erguida, un tanto envarada, que le servía a la maravilla para subrayar su conversación escandida con prolija exactitud de relojero. A menudo tenía Wito momentos de humor sardónico y sus paradojas estallaban siempre de improviso y se apagaban en igual forma. Un día le escuché decir con inapelable seriedad: "Esto del clima es un asunto puramente personal. No hay climas fríos o calientes, buenos o malos, saludables o dañinos. Son las personas las que se encargan de crear una fantasía en su imaginación y la llaman clima. No hay sino un clima en toda la tierra, pero la gente descifra, según reglas estrictamente personales e intransferibles, el mensaje que le pasa la naturaleza. Yo he visto sudar lapones en Finlandia y tiritar de frío a un negro en Guadeloupe." Al terminar estas sentencias afirmaba sus palabras con una inclinación repetida y castrense del tronco, como quien termina de dictaminar sobre el destino del universo. Nunca sabía uno si recibir estas paradojas con una sonrisa o con seriedad convencional de discípulo que ha sido iluminado por la verdad.

Comimos en su camarote y tuve que reconocer que las artes del cocinero de Kingston estaban a la altura de la fama que predicaba su patrón. Éste encendió un cigarrillo de tabaco negro, que despedía un olor ácido de arbusto carbonizado y, frente a dos tazas de café bien cargado, comenzamos a intercambiar noticias sobre lo que había sido de nosotros durante el largo periodo en el cual no nos habíamos visto. Al terminar, le expliqué que pasaba por una de esas épocas en que todo sale mal. Estaba varado en New Orleans y se me agotaban los pocos dólares que me quedaron tras liquidar un mirífico negocio de implementos para pesca en alta mar que vendía a la gente de Grand Isle, en los Cayuns. Ya había enviado varios s.o.s. a mis amigos en los cinco continentes sin obtener ninguna respuesta. Era como si hubieran muerto todos. "Sí –me interrumpió Wito–. Después se los encuentra uno en cualquier bar y preguntan con una cara de sorpresa recién estrenada: ¿Pero dónde andabas? Creíamos que te habías muerto." Bueno, lo cierto era que me quedaban en el bolsillo apenas los billetes suficientes para pagar la siniestra pensión en un barrio de turcos y marroquíes a donde había recalado con una *belly-dancer*, sobrina de la dueña del tugurio. La bailarina se largó al poco tiempo a San Francisco y yo me quedé allí aguantando, con relativa paciencia, el fastidioso rosario de reclamos de la agria tía que me echaba la culpa de la huida de su, según ella, cándida sobrina. Una joya la niñita, una joya que prometía más de lo que la buena señora sospechaba. Tenía ya más de diez relojes de marcas costosísimas que le distraía a los clientes, mientras se le acercaban durante el baile para meterle en la cintura o en el sostén un mugroso billete de cinco dólares, cuando no alguno de una devaluada moneda suramericana. Wito me miraba a través del tupido matorral de las cejas, mientras una sonrisa satisfecha le bailaba alrededor de sus facciones de zorro inofensivo.

–Venga conmigo –dijo al final de mi historia–, necesito un contador y, aunque ya sé que los números no son su fuerte, es tan sencillo lo que hay que hacer que hasta usted sirve. El que traía se enfermó de malaria y quedó hospitalizado en la Guayana. Los reglamentos de la marina mercante me exigen tener uno a bordo. Usted me arregla el problema. Pero debo contarle que mis cosas no van mucho mejor que las suyas, Gaviero. Comencé a endeudarme hace ya un año. Iba pagando como podía pero, de pronto, todo empezó a complicarse. No hay carga y cada vez aparecen más compañías aéreas medio piratas, que con tres viejos DC4 transportan carga a unos precios que no sé cómo les alcanza para la gasolina.

–Depende de la carga, Wito, depende de la carga –le aclaré alarmado por su ingenuidad.

–Sí –prosiguió–, tiene razón, qué tonto soy. Bueno, la verdad es que el *Hansa Stern* ya pertenece en dos terceras partes a los bancos. Pero ahora tengo una buena perspectiva con un cargamento de copra de la isla de San Andrés para llevar, al parecer, hasta Recife y mañana me resuelven algo para traer a Houston unas maderas de Campeche. Si las dos cosas me salen, libero el barco y nos largamos a Chipre a mover peregrinos.

Allí nos habíamos conocido hacía ya una buena cantidad de años, en circunstancias que ya vendrá la hora de contar. Acepté, naturalmente, la oferta de Wito, aunque me surgían las mayores dudas sobre la solidez y realidad de las dos operaciones que nos iban a sacar del atolladero. Algo flotaba en los ojos de mi amigo que me estaba indicando que las cosas andaban tal vez mucho peor de lo que él mismo aceptaba. Pero quedarme en New Orleans era en verdad como llegar al fondo del pozo. Sentía hacia la ciudad, tal como ahora era, una profunda antipatía. El puerto *créole* y bullanguero, con música excelente y mujeres de los cuatros puntos cardinales, dispuestas a todo, se había convertido en una pretenciosa capital maquillada con su color local tan cursi como falso, lista para acoger a un turismo tejano y del *middle west*, muestra repugnante de la peor clase media americana. Sólo quedaba el río, majestuoso y siempre en actividad, que parecía dar dignamente la espalda al lamentable espectáculo de una ciudad que antes fue su favorita. Recogí mis cosas y dejé a la dueña del inquilinato maldiciéndome en tres dialectos de Anatolia, mientras el taxi se alejaba conducido por un negro gigantesco que se reía sin entender una palabra del chaparrón siniestro que llovía a mis espaldas. Instalé mis pertenencias, tan escasas que cabían en una no muy impecable bolsa de marino, en el camarote que me correspondía. Al cerrar la puerta con llave para dirigirme a cenar con Wito, me topé con Cornelius. Ya dije cuál fue su primera reacción. Mi larga experiencia con los frisios me dio el aplomo suficiente para soportar los primeros días de su reservada y quisquillosa compañía.

Como lo había sospechado desde un comienzo, los negocios no fueron como Wito me los había pintado. Lo de las maderas de Campeche se redujo a una escueta operación consistente en llevar traviesas para ferrocarril desde el puerto mexicano hasta Belice. Una miseria. Lo de la copra se redujo a dos viajes, desde San Andrés hasta Cartagena, con el horrible producto que impregnaba el aire con su intenso olor aceitoso, pariente del que despiden las chinches. Ni para pagar el diesel consumido en el trayecto. Luego siguieron algunos otros encargos de igual importancia que evidentemente no alcanzaban a cubrir la operación del *Hansa Stern*, al cual el nombre le quedaba cada vez más inapropiado y grotesco. Wito nos debía casi tres meses de salario. "Con ustedes –se disculpaba en la sobremesa, escondiendo sus ojos grises tras el bosque de pelos que los protegían– me puedo tomar esta penosa libertad porque son mis amigos y comprenden mejor que nadie cómo son estas cosas. Pero a los proveedores, a las autoridades portuarias y al resto de la tripulación no puedo pagarles con palabras y protestas de amistad. Algo se presentará, ya lo sé, pero ojalá sea pronto. No sé qué hacer." Se pasaba la mano por el pelo entrecano, cortado al cepillo, con el gesto de quien trata de resolver un teorema de geometría por un abstruso camino que no es el conocido y normal. A sus premiosas disculpas contestábamos siempre, Cornelius y yo, tratando de alentarlo y comunicarle ánimos. Por nosotros, desde luego, no tendría que preocuparse, estábamos en el mismo barco –el chiste no le hacía sonreír, desde luego, porque lo habíamos repetido hasta la saciedad– y de pronto, un día, nos iba a llegar el contrato que nos sacaría a flote –aquí ya el improbable humor ni siquiera era registrado por Wito.

La capacidad para magnificar los negocios que se iban ofreciendo se agotaba en Wito a ojos vista. No es que cayera en la depresión o el desánimo. Eso hubiera sido en él inconcebible. Simplemente, era obvio que el mecanismo que lo sostuvo durante tantos años se había trabado allá adentro, dejando a nuestro hombre en una suerte de marcha neutra. La rigidez de sus gestos y posturas se iba haciendo más notoria y sus silencios de Báltico más largos. No solía ya demorarse en la sobremesa recordando los viejos tiempos: nuestro encuentro en Chipre, su primera travesía al lado de Cornelius, que había sido compañero de colegio de su esposa en Rotterdam, nuestras andanzas en el Adriático con Abdul Bashur, amigo y cómplice en operaciones que tocaban terrenos vedados por el código penal. Su mutismo era notorio. Ahora callaba frente a la taza de café negro y, cada vez con mayor frecuencia, llenaba sucesivas y minúsculas copas de licor de frambuesa que bebía de golpe y con aire ausente pero cortés.

La esposa de Wito pertenecía a una familia hebrea de Amsterdam. Se casaron cuando era primer oficial en un barco de pasajeros de la Nord Deutsche Lloyd Bremen, el *Murla*. Estuvo siempre enamorada de él como una quinceañera desbocada. Cuando obtuvo el grado de capitán, compró el *Hansa Stern* con el dinero de una herencia que le dejaron en Aruba unos tíos sin hijos. El barco llevaba entonces otro nombre, un poco más de acuerdo con su modesto tonelaje. Susana lo bautizó de nuevo, movida por sus recuerdos hamburgueses. Durante muchos de los viajes que emprendieron al comienzo, ella acompañaba a Wito. En sus incursiones por las Antillas fue en donde la bautizaron como Wita, lo que era más que previsible conociendo a la gente de las islas. Como en verdad se llamaba Susana, el apodo de Wita no le iba para nada. Pero la cosa no tenía remedio y ella la tomaba con total indiferencia a veces teñida de cierto humor judío. Hacía contraste muy notable con su esposo por su estatura de soprano wagneriana y una cara sonriente, ancha, con una tez rosada de niña que añadía mucha gracia a sus ojos pardos de una movilidad inteligente e incansable. Tuvo conmigo ternuras de hermana menor. Solía reprocharme siempre con burlona impaciencia:

–¡Ay, Gaviero! No sé qué le encuentras a ese perpetuo vagabundear tuyo, dando tumbos de un lado para otro. ¿Por qué no te casas y te instalas en alguna parte?

–Sí, un día lo haré. Ayúdame a buscar esposa –le contestaba para sacármela de encima.

–No, pobre mujer. Tienes más manías que un viejo rabino y cada día estás más loco –comentaba mientras venía a sentarse en mis rodillas y a pellizcarme las orejas, haciendo muecas de fingido reproche.

Conocí a Wito en Chipre, cuando Bashur y yo buscábamos un carguero para transportar una mercancía poco convencional, como habíamos resuelto llamarla con Abdul, entre regocijados y cautelosos. Se trataba de armamento y explosivos con destino a un pequeño puesto marítimo cerca de Haifa. Como la operación ofrecía más de un riesgo, ya cerrado el trato con Wito le pedimos que dejara a su mujer en tierra. "Si van a volar en pedazos yo prefiero que sea conmigo", comentó ella muy decidida. No hubo forma de convencerla de lo contrario y el viaje, lleno de sobresaltos, estuvo salpicado de sabrosas escenas en donde Wita simulaba, más que sentía de verdad, súbitos pánicos o exaltadas explosiones de júbilo cuando sorteábamos un obstáculo peligroso; ya fuera una lancha torpedera con el Union Jack en la popa o aviones egipcios que pasaban en vuelo rasante haciendo señales de las que era mejor no hacer caso.

Cuando liquidaba el infernal negocio de la mina de Cocora me enteré de la muerte de Wita. Había fallecido en Willemstad a causa de una tifoidea mal cuidada. Cuando se creyó fuera de peligro, comió una canasta de cerezas que le habían enviado sus padres desde Holanda. Sentí su ausencia como pocas veces he sufrido la muerte de alguien. Tenía esa tan rara condición de transmitir la felicidad, de hacerla brotar a cada instante, así, gratuitamente, sin razón alguna, porque sí, porque venía con ella, con sus gestos, con su risa, con su amor por la gente, por los animales, por los atardeceres en el trópico y las para ella siempre infantiles e inexplicables ocupaciones y preocupaciones de los hombres. Cuando perdemos a alguien así, sabemos que una ración más de la escasa dicha que nos es concedida se ha ido para siempre.

Wito me contó, en breves palabras y sin muchos detalles, la huida de su hija con un pastor protestante. La muchacha apenas cumplía quince años. No heredó la rozagante frescura de su madre pero sí su estatura, junto con la tiesura de movimientos del padre y algo de sus facciones de coyote trasnochado. Padecía un defecto de audición y tenía un genio de los mil demonios. Lo que más le dolió a Wito fue la tartufería del pastor, la beatitud meliflua con la que se insinuó en su casa aprovechando la ausencia de la madre y la debilidad de la joven. A ésta la perdonaba con la sospechosa facilidad de quien se ha librado de una carga inmanejable. Al recordarla, parecía reprocharle tácitamente la ausencia de todas las gozosas virtudes de la madre. Wito seguía amando a su mujer con un fervor incompatible con su edad y con el tiempo transcurrido desde cuando ella dejó de existir. Cada vez que la mencionaba, uno tenía la impresión de que estaba a su lado. Pero en los últimos tiempos, también ese tema familiar fue paulatinamente desapareciendo de las charlas de sobremesa. Una cadena de necias fatalidades, de crecientes descuidos, de abulia cuidadosamente maquillada con el estricto cumplimiento de una rutina más inútil cada día, había venido a estropearlo todo.

Mis responsabilidades se iban reduciendo a bien poca cosa: registro del consumo y pago del combustible, la nómina que comprendía a seis marineros, el cocinero y cinco maquinistas; la provisión y control de los víveres y alguna otra compra incidental y sin importancia. Esto me tomaba menos de una hora al día. El resto del tiempo se iba en especular, con la ayuda de Cornelius, sobre las posibles soluciones a una situación que se estaba tornando insostenible. El holandés divagaba con esa lentitud síntoma del ocio en el que suelen flotar los obesos cuando se agotan sus responsabilidades que, en su caso, se concretaban a bajar de vez en cuando al cuarto de máquinas para supervisar el trabajo y reemplazar, cada vez con mayor frecuencia, a Wito en el puente de mando. Nuestro amigo transcurría más y más horas al día encerrado en su camarote, con la mirada perdida en la opacidad de sus cavilaciones. Íbamos entrando todos en un estado muy cercano a una controlada y estéril desesperanza. Llegué, en un momento, a pensar que el imposible color amarillo con el que estaba pintado el *Hansa Stern* influía en la ausencia de contratos de carga que nos esperaba en cada puerto. Porque, ¿a quién se le había podido ocurrir embadurnar la nave con ese tinte color cola de papagayo, que le quitaba la poca dignidad que podía tener el destartalado carguero construido en Belfast hacía más de ochenta años y que había servido en más de una guerra bajo las más heteróclitas banderas? Sólo a Susana Geltern, nacida Silverbach, quien tenía sobre las cosas del mar la misma desaprensiva actitud de su marido. Pero cargar al color con la culpa de todo no dejaba de ser una manera más de evadir el problema. Lo evidente era que se nos había venido encima una mala racha. Una de esas sombrías fatalidades de cada uno de nosotros en particular, que entraba en conjunción con la fuerza de una tormenta inmanejable.

Siempre he pensado que a estos periodos de catastrófica secuencia de infortunios no hay que darles un sentido trascendente de fatalidad metafísica. Nunca he creído en eso que las gentes llaman mala suerte, vista como una condición establecida por los hados sin que podamos tener injerencia en su mudanza u orientación. Pienso que se trata de un cierto orden, exterior, ajeno a nosotros, que imprime un ritmo adverso a nuestras decisiones y a nuestros actos, pero que en nada debe afectar nuestra relación con el mundo y sus criaturas. Cuando una de esas rachas se ensaña sobre mí, sigo disfrutando la compañía de mis compañeros de bar, la complicidad de amigas de ocasión, el diálogo con las sabias y reposadas madames de las casas de citas y compartiendo con algunos entendidos y muy estimados amigos, dispersos por algunos rincones del planeta, la especulación sobre el destino de las grandes dinastías de Occidente, signado a menudo por esas uniones fatales hechas con evidentes fines políticos y que cambian luego toda la historia durante varios siglos. En Puerto Rico, por ejemplo, sigo meditando con un muy querido y más que eminente historiador, sobre las consecuencias del matrimonio de María de Borgoña con Maximiliano de Austria. El perderse por tales laberintos, que pueden parecer a los neófitos una ocupación estéril, me parece mucho más práctico y con los pies en la tierra que embestir a topes, como un borrego, contra circunstancias extrañas a nosotros que se conjuran para complicarnos el lado puramente utilitario de nuestra vida que es, sin duda, el más irreal e inasible dada su elemental e irremediable idiotez. Para esas especulaciones dinásticas nada más propicio, al menos en mi caso, que el bochorno ardiente del trópico que suele aguzar mis sentidos y mi inteligencia hasta los límites de lo visionario y delirante. Es, entonces, cuando el calor y la humedad se conjuran para establecer una noche con ambiente de caldera y llega el sueño, como una guillotina aterciopelada y piadosa, que nos deja a la orilla de olvidadas regiones de la infancia o de oscuros rincones de la historia, poblados por figuras que vivimos como fraternas presencias inefables. Cuántas veces, en esas semanas anteriores a la llegada a Cristóbal, volvió a visitarme el sueño recurrente en el que participo como consejero militar y político de un paleólogo, alto, moreno y de una delgadez de asceta, que reina en Nicea. Todo se cumple con una deliciosa y eficaz parsimonia. La feliz conclusión de empresas guerreras y la firma de arduos tratados suceden dentro de un orden que podría calificarse de intemporal y platónico, hermano del que se instala a un tiempo en el centro de mi ser y en la dorada plenitud del pequeño imperio a orillas del mar de Mármara. De allí que, cuando mis asuntos de la diaria rutina toman un sesgo adverso, como era el caso entonces en el *Hansa Stern*, en mi interior persisten, intactas, mi disposición y simpatía por los seres que pueblan la historia y por el mundo que se ofrece al alcance de mis sentidos. Es más, a medida que los escollos prácticos se multiplican, más generosamente se ensancha el territorio y el disfrute de esos dones que tejen la trama esencial de mi vida.

Tan mal llegaron a estar las cosas que Cornelius, en un aparte confidencial que tuvo conmigo en el segundo cuarto de guardia de la noche, cuando navegábamos rumbo a Martinica para recoger unas familias hindúes que iban a trabajar a Guayana, me confesó alarmado: "Wito está pagando el combustible con cheques sin fondos. Usted sabe que con la Esso no hay bromas. Cuando lleguemos a Aruba para cargar diesel, nos van a caer encima. Estamos al final de la soga, Gaviero, yo se lo digo, al final de la soga." No se cumplieron las predicciones del contramaestre. Es decir, se cumplieron sólo en parte. En efecto, en Aruba le esperaban a Wito dos cheques que no habían podido cobrar por falta de fondos. Logró cubrirlos con dinero que, como por arte de magia, consiguió en un plazo de tres horas después de la penosa escena en la planta de abastecimiento de la Esso. Ya en alta mar, nos confesó que había empeñado las joyas de Susana, que guardaba como reliquias entrañables y propicias, y un reloj de bolsillo, regalo de su padre cuando pasó los exámenes de práctico en Dantzig. Ahora no cabía ya ninguna duda. Éste era el final de la soga que con tanta razón anunciaba Cornelius.

La idea de poner rumbo hacia Panamá le surgió a Wito de repente. Nunca supimos la razón. Una mañana, cuando estábamos Cornelius y yo en el puente de mando, irrumpió en pijama, a medio despertar, y ordenó con voz opaca y trasnochada: "Cambie el rumbo, Cornelius, vamos a Cristóbal." Y regresó a su camarote donde lo esperaban el té y las tostadas con mermelada de *blueberry* que todas las mañanas le traía el cocinero. Nos quedamos un rato en silencio. El contramaestre cambió el rumbo y cargó su pipa con minucioso desgano. Luego, se limitó a comentar: "Claro, ya lo entiendo, vamos a Cristóbal porque a Panamá ni hay que pensarlo. No debe tener dinero para pagar los derechos del canal. A Panamá iremos en tren y por nuestra cuenta." Una risa desmayada trató de abrirse paso por su garganta pedregosa de empecinado fumador de tabacos anónimos y execrables. Desde ese momento supimos a qué atenernos. La decisión de atracar en Cristóbal significaba, sencillamente, el final del viaje. Al unísono nos invadió una sensación de alivio que luego derivó en pena por haber gastado largos meses de frustrados intentos para salvar el *Hansa Stern* y su dueño: el asmático jadear de las máquinas y el golpeteo apagado de las bielas parecían subrayar nuestro desaliento.

Wito siguió cumpliendo con su diaria rutina, más encerrado cada día en una especie de ausencia hecha de conformidad y desapego. En la mesa extremaba la cortesía, como disculpándose de la responsabilidad que pudiera caberle en la situación catastrófica que compartíamos sin la menor sombra de reproche. En vano tratamos de convencerlo de que lo acompañábamos por nuestra propia voluntad y a sabiendas de que los negocios andaban mal. Nuestra familiaridad con crisis semejantes nos había hecho, desde hacía muchos años, del todo inmunes a sus consecuencias. Era inútil. Él se ensimismaba y no parecía prestar atención a nuestras aclaraciones.

Llegamos a Cristóbal al atardecer, bajo un cielo espléndido en donde las estrellas parecían acercarse a la tierra movidas por una curiosidad juguetona. Las luces del puerto teñían el cielo con un halo rosáceo. Hasta nosotros llegaba el sincopado estruendo de las orquestas que animaban, con un ritmo afroantillano más bien espurio, la vida de los cabaretuchos y bares de mala muerte que pululaban en las calles. Yo estaba tan acostumbrado a ese bullicio monótono y tristón, que lo tenía ya confundido con el ánimo de final de viaje que solía traerme siempre una ligera ansiedad, un vago pánico a lo desconocido que pudiera depararme el bajar a tierra.

Panamá

Después de la muerte de Wito, preferí bajar en Cristóbal y seguir a Panamá en tren. Cornelius quedó en el barco. El capitán que recibió el *Hansa Stern* por orden de los bancos le hizo una propuesta que el holandés encontró más interesante que empezar a conseguir trabajo en un medio que no conocía muy bien. Habíamos buscado en los papeles de Wito una posible pista del paradero de la hija. Queríamos informarle del fallecimiento de su padre. Lo único que conseguimos fue la dirección de la Iglesia a la que perteneció el pastor y allí enviamos un telegrama con la noticia. Lo más probable, sin embargo, era que el cadáver fuera a parar de la morgue al anfiteatro de la Facultad de Medicina de Panamá, para servir en las clases de anatomía. Había en ello una cierta aunque macabra lógica, si recordamos las maneras y gestos de prefecto de estudios que identificaron toda su vida al pobre Wito de Dantzig, con su pausada manera de hablar como quien da una clase ya sabida de memoria desde siempre.

El viaje en tren duró varias horas. Me acomodé como pude en un coche de tercera en el que se amontonaban familias y trabajadores del puerto. Una algarabía incontenible me fue arrullando lentamente. Anécdotas de barrio, chismes de vecindad, hechos de sangre, sucesos procaces y brutales, gritos y llantos infantiles, la eterna y desvaída materia de esas vidas sin nombre y sin rostro que resume siempre para mí eso que las gentes de mar llaman "estar en tierra firme" y que acaba provocándome un fastidio abrumador. El paisaje tropical de la zona, con su vegetación de hojas relucientes de un oscuro verde metálico, el calor que entraba por las ventanillas abiertas para buscar un improbable aire refrescante y el vocerío del pasaje, me trasladaron a alguna colonia europea del Asia. Hubo un momento en que hubiera jurado que viajaba a través de la península de Malaca, entre Singapur y Kuala-Lumpur. Allí disfruté tiempos de una relativa prosperidad, gracias al comercio de la teca y a otras actividades aledañas no tan fácilmente definibles. El rodar del tren, con su ritmo tan característico, y el ligero bamboleo del vagón, me dejaron en un duermevela donde sólo una delgada porción de la conciencia seguía vigilante y despierta. La emisión pastosa y sin forma del lenguaje que escuchaba, la ausencia de sonidos como los de la ese y la erre y los tonos agudos en que se mantenía el diálogo de las mujeres y los niños, me llegaba como un griterío de aves que se perdían en los platanales. "Ya va llegando la hora –pensaba– en que suelo preguntarme: ¿Qué hago aquí? ¿Quién diablos me ha traído aquí? Son las preguntas a donde va a parar esta mezcla de hastío sin fondo y de vago miedo cuando sé que me espera una larga permanencia en tierra. Malo está esto y no veo que tenga visos de arreglarse. Panamá. No he permanecido más de una semana aquí, pero he estado en tan repetidas ocasiones, que ha terminado por convertirse en un sitio familiar en medio de los incontables desplazamientos de mi vida sin asidero ni destino. La ciudad no es particularmente acogedora ni interesante, pero proporciona esa tonificante impresión de absoluta irresponsabilidad, donde todo puede suceder en medio de una auténtica y anónima libertad para disponer de nuestra vida, por lo que resulta sedante y llena de gratas, aunque siempre incumplidas, promesas de una sorpresa en donde nos espera, agazapada, la felicidad." Pero en esa ocasión las cosas se presentaban distintas. Iba a tener para muchos meses en ese istmo de aguaceros interminables y pausadas olas de temperatura de baño turco. No conocía a nadie. Siempre había estado de paso. Ninguno de mis conocidos había dejado huella alguna. Señal bien elocuente de esto era el que aquí había venido a recalar con Wito y Cornelius, ninguno de los dos auténtico compañero de mis dichas y descalabros. Apenas amigos de ocasión, pero extraños a ese tránsito por las regiones oscuras de la aventura de vivir, esa danza descabellada de los raros instantes de dicha compartida con aquéllos que en verdad podemos llamar nuestros amigos. Sabía, de antemano, que no iba a encontrar a ninguno de ellos en Panamá. El dinero recibido al dejar el *Hansa Stern* me alcanzaría para ir tirando por unos meses. Pero, como ya me conocía de sobra, a las pocas semanas iba a andar con los bolsillos y el estómago vacíos. No me preocupaba esa perspectiva. Un vodka a tiempo y una amiga ocasional, que no volvería a encontrar jamás, eran bastantes para salvar ese momento en que pensamos que hemos tocado el fondo del pozo. Y ambas cosas, no necesariamente se consiguen sólo con dinero. Ya sabía cómo sortear esos recodos en que la trampa parece cerrarse ineludible. Y así un día y otro hasta que una mañana logre zarpar o invente otra locura como la mina de Cocora o el trabajo en el Hospital de los Soberbios. Da lo mismo, todo da igual. Lo que no da igual es otra cosa: es eso que llevamos adentro, esa hélice desbocada que no para. Allí está el secreto, eso es lo que no debe fallar nunca. Me quedé dormido en un sueño profundo. Cuando desperté el tren entraba a la estación. De pronto sentí que lo que necesitaba con urgencia inaplazable era, precisamente, un vodka bien helado. En el primer bar que encontrara convocaría a mis dioses tutelares, a los ciegos consejeros que sólo se presentan cuando alcanzamos ese estado de gracia que el vodka sabe dar con tan sabia e inexorable fidelidad. Allí estaba la respuesta salvadora, la verdad revelada, la otra orilla donde se pulen los símbolos y suceden las lentas celebraciones que disuelven toda perplejidad y ahogan toda duda.

Bajé, en medio de un concierto de bocinas desatadas y el aullido de una sirena que se alejaba con el último fulgor de la tarde. Me eché al hombro el saco y me dirigí al centro de la ciudad. Los grillos iniciaban su orquestada gritería y las luces de neón se encendían con la vulgar estridencia de colores que uniforman todas las noches de todas las ciudades de la tierra. Pensé que antes de cumplir con la ceremonia del vodka, indispensable para poner en orden ciertas ideas y aplacar otros tantos demonios que empiezan a rondarme siempre que dejo el mar, debía buscar un hotel modesto para alojarme. Por una de las callejuelas que llevan de la avenida Balboa hacia la avenida Central encontré algo que se parecía mucho a lo que buscaba. Tenía el improbable nombre de Pensión de Lujo Astor. En la recepción dormitaba un viejo de barba asiria y entrecana, con facciones de cochero judío de la Viena de Franz Joseph. No cuadraban su corpulencia y aspecto imponente con su permanecer detrás de un mostrador para el que tanta energía en franca exposición se antojaba un desperdicio. Cuando se incorporó para entregarme las llaves del cuarto, me di cuenta de que usaba una pierna ortopédica. Los inquietantes chirridos de resortes oxidados dejaban una impresión de tristeza y desamparo imposible de armonizar con el coloso hebreo que se le enfrentaba a uno sin una sonrisa y con la adusta expresión de quien no habla bien el idioma del lugar en donde vive. La habitación, en el cuarto piso, daba hacia la bahía. Unas gaviotas despistadas giraban sobre el agua lodosa y casi inmóvil, idéntica a la que había visto en Cristóbal. Ese mar mancillado infundía en el ánimo un sabor de fracaso y mezquindad que no era precisamente lo que hacía falta para levantarme la moral. Los automóviles pasaban por la calzada con la desbocada premura que siempre me sorprende cuando he navegado durante mucho tiempo. El familiarizarse con las cosas de la tierra requiere un plazo con el que nunca contamos al desembarcar. Un camastro de resortes vencidos, cubierto con una colcha de un lila desteñido y salpicada de manchas que más valía no examinar con detenimiento, una mesa que cojeaba peligrosamente y un cromo con un perro San Bernardo cuidando a un niño dormido en la nieve, creaban ese ambiente impersonal e insípido característico de todos los hoteles que me han tocado en la vida. Al fondo del corredor estaban el baño y dos sanitarios. Un caballero tocado de sombrero de copa y una dama de los años treinta indicaban con innecesaria elocuencia, en cada puerta, a quién estaba destinado cada cubículo. Me di cuenta de que no resistiría mucho más la sordidez que se me acumulaba hacía tanto tiempo. Salí a la calle en busca de un bar. Inquirir con el cochero vienés dónde estaba el más cercano, se me antojó una compleja operación lingüística con alguien con quien, por lo demás, no era aconsejable establecer otros nexos que los estrictamente relacionados con sus funciones de portero. Después de recorrer algunas calles donde reinaba una relativa calma de barrio residencial bastante venido a menos, desemboqué en una donde había varios bares, uno tras otro, con su correspondiente letrero de neón y su música sonando a todo volumen. Entré en el que me pareció menos ruidoso y pedí un vodka doble con hielo.

Me convertí en cliente asiduo del bar. Resultó ser no solamente el más tranquilo sino también el que tenía la clientela más fiel y constante. El dueño se llamaba Alejandro, pero todos le decían Alex. Era un panameño delgado, de ojos saltones, que pertenecía a esa clase de cantineros que no hacen preguntas pero que tienen una memoria infalible respecto a las preferencias y caprichos alcohólicos de sus parroquianos. El *barman* ideal. Resolví enviar a mis amigos esa dirección para que allí me fuera guardada la correspondencia. No intenté siquiera lanzarme a buscar trabajo. La experiencia me había enseñado que, mientras no se familiarice uno con ese secreto ritmo propio de cada ciudad, es inútil empeñarse en buscar un oficio que valga la pena. Esa ansiedad con la que, en otra época, me lanzaba a la calle a la caza de un trabajo, sólo servía para engañar la conciencia. Terminaba de recogedor de basura, de portero de burdel o descargando barcos en los muelles. Por esa razón, esta vez decidí tomarlo con calma y sondear con paciencia lo que Panamá podía ofrecer para salir del mal paso de una vez, en lugar de un sórdido ir viviendo. Cuando el panorama se nublaba y empezaban a bullir allá adentro las dudas y el desánimo, el vodka seguía siendo eficaz para aplacar tales síntomas y seguir en acecho.

Un sábado en que la dosis acostumbrada no fue bastante para cumplir con su tarea de rescate, terminé una botella lentamente y me fui a la cama envuelto en las brumas de la altamar del alcohol. El domingo en la mañana vi con sorpresa que, a mi lado, dormía una negra enorme y desnuda, con una cabellera de guerrero zulú. La sacudí hasta despertarla y se me quedó mirando entre asombrada y furiosa. De su boca desdentada salían airadas palabras en un dialecto antillano, mezcla de papiamento e inglés de Granada. La obligué a vestirse y con unos pocos dólares me la quité de encima. Hasta donde yo recordaba, había salido solo del bar, con pasos más que inseguros, y llegado hasta el hotel sin ninguna compañía. No pensé más en el asunto. Algunos días después también me pasé un tanto de copas, sin llegar a lo de la vez anterior. También, a la mañana siguiente, me despertó la mirada medio idiota y aterrada de una mujeruca de cabellos teñidos de un rubio casi blanco y cuerpo esquelético lleno de pequeñas manchas rosadas bastante inquietantes. Salí de ella, esta vez sin remuneración alguna. Estaba seguro de no haberla visto nunca antes. Hubo un tercer episodio de este tipo con una india que debía venir de Taboga o de alguna isla cercana. Apenas hablaba español y trató de atacarme con una navaja. La saqué a empellones hasta el corredor y regresé al cuarto. Llamé a la portería para que me trajeran sábanas limpias. Contestó el portero, simulando no entender muy bien mis palabras. En ese instante me di cuenta de lo que había pasado y de cuál era el origen de las visitas de marras. Me vestí y bajé a la recepción. Pedí mi cuenta y, al examinarla, vi que me habían cargado el precio de una persona más en los días correspondientes a las apariciones femeninas. Sin quitar mis ojos de los suyos le exigí al cojo, con palabras lentas y tranquilas y en un alemán bien comprensible, que borrara de la cuenta las sumas que había puesto de más y lo hiciera en ese instante en mi presencia. Así lo hizo, sin decir palabra, con parsimonia que escondía un cinismo de siglos. Luego le previne que si volvía a subir una mujer a mi cuarto haría un escándalo con la policía y las autoridades sanitarias para que le clausuraran su famosa pensión de lujo. "No volverá a suceder –comentó mientras regresaba los papeles al archivero de madera empotrado debajo de las casillas con las llaves–. Descuide. Debió ser un error", musitó mientras una sonrisa de sus gruesos labios mojados en saliva trataba de insinuarse por entre la ira de sus facciones de auriga hambriento.

Comenté la historia con Alex, quien me aconsejó no tener muchos tratos con el cojo: "Es dueño del hotel y, además, controla las putas de la manzana. Pero sus negocios más importantes no son ésos. Anda en otras empresas y la guardia le tiene puesto el ojo hace mucho tiempo. Lo que pasa es que mueve influencias más arriba y reparte dinero, mucho dinero." Le pregunté si sería aconsejable cambiar de hotel y me dijo que no lo hiciera; en los otros las cosas no cambiarían mucho, éste estaba bien ubicado y ya me conocían en la vecindad, lo que era bueno para los fines de hallar trabajo. Tenía razón. El portero-propietario siguió tratándome con la misma impersonal distancia que usaba para con todo el mundo.

Cuando había perdido las esperanzas, recibí una carta de Abdul Bashur. Traía timbres de Italia, estaba fechada en Ravena y sus noticias no eran propiamente alentadoras. Estaba gestionando el pago del seguro de un buque del que era propietario con sus hermanos y su cuñado, el esposo de su hermana mayor, Jasmina. La aseguradora ponía toda suerte de dificultades tratando de evitar el pago de la póliza. El buque había sido hundido por aviones libios, aunque llevaba bandera de Liberia. Los aseguradores intentaban demostrar que ese riesgo no estaba cubierto por la póliza y a los Bashur se les agotaban los recursos en el pago de abogados, peritos y gestiones consulares. El hijo mayor de Jasmina tenía leucemia y el tratamiento se estaba pagando con sacrificios cada vez más grandes. Sin embargo, ponía a mi disposición algunas libras esterlinas que tenía en un banco de Panamá, saldo de un negocio hecho hacía algunos años con las fuerzas armadas de un país vecino al istmo. Yo recordaba muy bien esa operación en la que intervine con Abdul y sonreía al notar la discreción con la que trataba el asunto. Pobre Abdul. Amigo entrañable como pocos, su generosidad, de la que había recibido ya muchas y muy diversas pruebas, no solamente en el campo de los negocios sino también en otros más delicados, tenía siempre la condición de conmoverme hasta las lágrimas.

Ya iba conociendo mejor la ciudad y me daba cuenta de que, como siempre sucede, la primera impresión sólo había venido a confirmarse: era un sitio de paso, un lugar de tránsito, condición que le otorgaba, a quienes la visitaban, ese encanto que tienen las ciudades y lugares que no dejan huella, que no imponen el espíritu secreto que las define, ni exigen del que pasa un esfuerzo para ajustarse a peculiares reglas que rigen la inconfundible rutina que las anima. Para mis fines, esto era particularmente grave. No son ese tipo de ciudades las que más oportunidades ofrecen en circunstancias como era la mía entonces. Allí todo el mundo está en tránsito. Pueden pasar semanas y meses sin que se consiga anclar en un trabajo determinado o poner en marcha alguna empresa, por humilde y limitada que ésta sea. Es más, entre más modestos nuestros propósitos, más difíciles son de cumplirse en esa suerte de incesante corredor donde nadie vuelve la atención hacia los demás. Rondando por vestíbulos y bares de los grandes hoteles del sector bancario y, en la noche, por algunos de los clubes nocturnos en donde gente de todas las condiciones, oficios y razas busca distraer el hastío que los invade en esas paradas obligatorias que imponen los viajes de negocios; en el aire cargado y más bien sórdido de los casinos que, en los mismos hoteles y en otros lugares, ofrecen un mediocre sucedáneo al ansia transitoria de aventura y emoción que despierta Panamá; por tales sitios y por algunos otros menos confesables, busqué en vano esa oportunidad de emprender algo que me permitiera salir del pantano en el que me hundía lenta pero irremediablemente. Al poco tiempo, la precariedad de mi vestuario y otros signos avanzados de la penuria me fueron obligando a alejarme de esos lugares. Tuve que contentarme con rondar cerca de la entrada, sin pasar adelante. Igual cosa hacía cerca de las grandes tiendas, en donde entraban los viajeros atraídos por una mercancía que resulta luego, en buena parte, hecha de saldos de marcas prestigiosas o de atrevidas falsificaciones de las mismas.

Llegó la temporada de las lluvias, que se establecen sobre el istmo con la desorbitada energía de una tromba y dejan las calles convertidas en ríos caudalosos e intransitables. Cuando caí en cuenta de que era inútil seguir buscando allí así fuera una modesta esquina de ese tapete de la fortuna, que imagino siempre flotando muy cerca de nosotros, provocándonos e invitándonos a subir para escapar hacia lo que, allá en el fondo, el niño que escondemos designa con voz secreta como "la gran aventura"; cuando me di cuenta de que no había ya nada que hacer y que las lluvias, al parecer, hacían mis recorridos imposibles, me encerré en el cuarto de la pensión, limitándome a cada vez más espaciadas visitas al bar de costumbre. Una cortina de lluvia caía sobre las sucias aguas del Pacífico y la ciudad daba, desde la ventana, la impresión de desleírse ante mis ojos indiferentes, hasta acabar en una mezcla de barro, basura y hojarasca girando en ávidos remolinos en la boca de las alcantarillas.

El día en que gasté el último dólar que me quedaba del dinero proporcionado por Abdul, el portero, con esa milenaria intuición de su gente para calibrar tales situaciones, me llamó al cuarto para decirme que, cuando bajara, quería hablar conmigo. En la tarde, antes de pasar por el bar, en donde por cierto ya tenía una cuenta pendiente que empezaba a preocuparme, fui al mostrador para enfrentar al auriga danubiano. De su enorme cabeza barbuda, que destacaba del mostrador como si estuviera en la mesa de un ilusionista, empezaron a salir palabras en un español lento y premioso pero muy preciso. Era evidente que yo estaba en las últimas y que en Panamá no hallaría ya ninguna salida a mi situación. Él conocía muy bien la ciudad. Si yo aceptaba podía ofrecerme algo que solucionaría, así fuera transitoriamente, mis problemas, permitiéndome, de paso, pagar el mes de alojamiento pendiente y lo que tenía firmado con Alex. El hombre sabía más de lo que yo hubiera deseado. Cuando regresara del bar, continuó, quería subir a mi habitación para que charláramos un poco. Convine con él en que así lo haríamos y fui a refugiarme en un par de vodkas que harían más fácil el diálogo con el cojo cancerbero. Muchas veces, en otras crisis semejantes, había recibido avances parecidos, hechos siempre por personas que tenían un inconfundible aire de familia con el portero. Casi hubiera podido anticipar cuál iba a ser, a grandes rasgos, la propuesta del hombre. Regresé a mi cuarto pasada la medianoche y, poco después, oí sus pasos claudicantes. Se sentó frente a mí en una silla desvencijada. Mientras se acariciaba la barba con gesto que quería ser patriarcal y sólo lograba hacerlo más sospechoso, me expuso su oferta. Lo de siempre. Se trataba de cruzar los límites legales para ganar algunos dólares que me permitirían sobrevivir mediocremente, no sin correr algunos, muy lejanos, riesgos con las autoridades. Él tenía en su poder objetos de valor –relojes, joyas, cámaras de fotografía, perfumes caros, algunos licores y vinos de grandes marcas y cosechas famosas– que le dejaban en prenda, a cambio de dinero, algunos amigos suyos. No necesitaba explicarme, como es obvio, que se trataba en verdad de cosas robadas en las bodegas de la aduana de Colón o en los depósitos de los grandes almacenes de Panamá. Al usar el circunloquio de las prendas, un brillo indefinible cruzó por sus ojos mientras la permanente sonrisa de los gruesos labios se congelaba en una mueca imprecisa. Los años en que deambulé por el Mediterráneo me familiarizaron largamente con esos signos de mezquino engaño de la fortuna. Dejé tranquilamente que hablara y, cuando terminó, le contesté que a la mañana siguiente tendría mi respuesta. “No lo piense mucho –me dijo al salir–. Hay otros candidatos que, además, tienen más experiencia." También hubiera podido predecir hasta la forma misma como me lo dijo, con ese ligero tono de amenaza que usan con quienes tienen ya el agua al cuello.

No tuve que pensarlo mucho. Al día siguiente bajé a decirle que aceptaba. "Ya lo sabía", repuso, mientras me invitaba a entrar en un oscuro cuchitril ubicado detrás del armario con las casillas de las llaves. Ahí dormía. Debajo del lecho sin arreglar, que despedía un olor de orina concentrada y comida rancia, sacó un estuche de madera forrado por dentro con terciopelo carmesí. Allí guardaba relojes, pulseras de oro y perfumes envasados en frascos de cristal de formas rebuscadas y extravagantes. Me indicó los precios a que debía venderlos. Si conseguía más, la mitad de la diferencia era para mí, de lo contrario sólo tendría derecho al quince por ciento del valor de lo vendido. Los lugares que me aconsejó como los más propicios para colocar la mercancía eran los mismos que yo rondaba hacía ya varias semanas. A lo impredecible del negocio se sumaba, entonces, la persistencia de los torrenciales aguaceros. "Espere al abrigo del corredor donde se detienen los automóviles para dejar a los pasajeros o para recogerlos." Sí, ya lo sabía. Inútil decírmelo. No era la primera vez que intentaba abordar a la gente en circunstancias semejantes. La dificultad consistía en que ésos eran precisamente los lugares en donde también se guarecían los guardias. Metí los artículos en mis bolsillos y salí a la calle para empezar la incierta empresa.

Al principio resultó un tanto más productiva de lo que esperaba. Los precios eran mucho menores que los de las tiendas. Los clientes aprovechaban la ocasión, con la impunidad que les ofrecía el estar de paso y no correr mayor riesgo al hacer su compra. Pero, como era previsible, los guardias comenzaron a percatarse de mi repetida presencia a la salida de hoteles y cabarets y no tardaron en abordarme. Salí del paso con algunas improbables disculpas que luego tuve que reforzar con pequeños obsequios. Convencí al cojo de compartir a la mitad el valor de los mismos y accedió, gracias al relativo éxito de mis habilidades como vendedor ambulante de artículos robados. Puse al día mi cuenta en la pensión antes de que se cumpliera el segundo mes de atraso. Cuando fui al bar para pagar lo que debía, Alex me previno en voz baja: "No se vaya sin hablar conmigo. Es importante." Un malestar, conocido de tiempo atrás, anunciador del peligro que se avecina, me quitó las ganas de tomar el vodka servido frente a mí. Por fin lo liquidé de un trago y esperé la oportunidad en que el *barman* pudiera conversar sin testigos. Un desaliento creciente, una vaga desesperación sin salida, me dejaban los miembros como si estuvieran hechos de una substancia blanda y moldeable. En la boca del estómago comencé a sentir el peso de una materia densa, paralizante, que se agitaba a trechos como si estuviera formada por un nudo de reptiles semidormidos. Por fin, Alex fue a un extremo de la barra, mientras secaba un vaso, y me hizo señas de que lo siguiera. Allí, mirando con precaución a todos lados mientras hablaba, me dijo: "Ya vinieron a preguntar por usted. Gente de la policía. Ya sabe, son inconfundibles, así traten de pasar desapercibidos con sus aires de civiles. Saben dónde se aloja y algo se huelen en relación con el judío del hotel. No sé en qué ande usted, pero vaya con precaución. Aquí no tienen muchos miramientos, cuidan mucho la imagen de la ciudad para tranquilidad de los turistas y gente de negocios que pasan por Panamá. Cambie de hotel hoy mismo. Rompa todo nexo con el cojo. Alójese en este hotel. Es gente amiga que conozco muy bien" y me alargó una tarjeta. Era el Hotel Miramar y estaba en la parte vieja de la ciudad.

Convencer al judío no fue fácil. Trató de restarle importancia a mis temores y repetía con tono que quería ser bonachón: "Yo sé arreglar esas cosas amigo, no se preocupe, no se preocupe." Precisamente la melosa parsimonia del portero fue lo que me decidió a partir de inmediato. Le devolví la mercancía. Liquidé cuentas con él y salí de allí un cuarto de hora después con cuarenta dólares en el bolsillo y ese peso muerto en la boca del estómago, aciago anuncio de desastres por desgracia bien conocidos.

El Hotel Miramar era un poco más reducido que la Pensión de Lujo Astor. Sus habitaciones un poco más limpias y la dueña resultó ser también alguien mucho más tratable y digno de confianza que el siniestro cojo con barbas de cochero. Era ecuatoriana, casada con panameño. Alex la había prevenido en mi favor y se mostró de una familiaridad cordial que sirvió para aplacar un tanto mis justificados temores de tener que entendérmelas con la policía. Un bullicio infernal entraba por la ventana del único cuarto que había disponible. Daba a una calle llena de pequeños bazares cuyos propietarios, todos hindúes, salían a la calle para atraer a los clientes a su negocio con una insistencia inagotable. De cada tienda salía la música de radios y tocadiscos, cada uno a mayor volumen que el otro, para demostrar la excelencia de sus cualidades ante el ensordecido parroquiano que acababa comprando lo primero que le vendían para librarse del hindú que no paraba de hablar barajando los precios con pasmosa habilidad, mientras la música acababa de atontarlo. En la noche reinaba, por fortuna, una calma apenas rota de vez en cuando por el grito estentóreo de un borracho o las risas de las prostitutas que esperaban en la esquina un improbable cliente. Fue entonces, a punto de llegar al fondo del abismo, cuando ocurrió el milagro salvador. Llegó cumpliendo un ritual que sucede en mi vida con tan puntual fidelidad, que no tengo más remedio que atribuirlo a la indescifrable voluntad de los dioses tutelares que me conducen, con hilos invisibles pero evidentes, por entre la oscuridad de sus designios.

Una tarde, en que me dedicaba a un ejercicio de memoria que por entonces supuse que pudiera ser remedio pasajero contra el pánico y el desaliento, la lluvia pareció alejarse dejando paso a un sol deslumbrante que bañaba el aire recién lavado. El ejercicio en cuestión consistía en rememorar otras épocas de penuria y fracaso que pudieron ser más terribles aún y más definitivas que ésta en Panamá. Evoqué, por ejemplo, entre otros muchos episodios, aquél en que estuve trabajando en el Hospital de las Salinas. Mi labor consistía en empujar, junto con otros compañeros, un tren de cuatro o cinco vagonetas que servían para transportar balastro al final de los espolones que remansaban las aguas del mar. Pero en lugar de piedras y cascajo, llevábamos tres o cuatro enfermos en cada vehículo. Iban a recibir la brisa marina que les aireaba las llagas y purulencias que los tenían postrados desde hacía muchos meses. Por una extraña condición del lugar, era el agua la que producía tales plagas y sólo el aire las aliviaba un poco. Ante la feliz perspectiva del alivio, los enfermos murmuraban en voz baja canciones con las que se arrullaban unos a otros. Casi todos habían perdido la vista a causa de la deslumbrante blancura de las extensiones salinas y, tal vez por esto, aguzaban el sentido del tacto hasta disfrutar, con intensidad para nosotros desconocida, la acción salutífera de la brisa. Mientras ellos entonaban sus cantos, nosotros empujábamos el trencito que rodaba trabajosamente por la vía oxidada y carcomida por el salitre. El viento hacía tremolar las sábanas en las que se envolvían precariamente los enfermos. Ya en otro lugar, hace muchos años, algo de esto narré en forma fragmentaria, es cierto, pero tal vez más cercana al episodio que trataba de evocar. Por uno de esos balsámicos caprichos de la memoria no tenía yo un recuerdo pesaroso de esa época en las salineras. Por el contrario, sólo permanecían en la memoria la alegría de la brisa en los cuerpos lastimados y exánimes, el cantar que salía de sus gargantas como un murmullo bienhechor y la fulgurante presencia de un cielo sin nubes. Sin embargo, con algún esfuerzo logré recordar que sólo hacíamos una comida diaria y que la paga era tan precaria que no nos alcanzaba para ir al puerto y olvidar allí nuestra miseria. Luego evoqué mis tiempos de fogonero en un pobre barco, a punto de irse a pique, que transportaba pieles desde Alaska hasta una factoría cerca de San Francisco. Nos habían enrolado con fraude. Firmamos un contrato por un año, atraídos por un adelanto que nos permitió beber durante tres días consecutivos, refugiados en la semitiniebla de una taberna de Seward. Afuera, la noche del polo se extendía en medio de un frío que helaba hasta los huesos. Al segundo viaje fuimos a pedir lo que nos prometieron como salario. El contramaestre nos mostró el recibo que habíamos firmado al engancharnos, en cuyo texto, mañosamente arreglado, aceptábamos como único sueldo en todo el año lo que nos habíamos bebido en Seward. Éramos tres fogoneros: un irlandés tuerto, conservado en alcohol, que deliraba todo el tiempo, un indio yanqui, silencioso y torvo, que se las arregló para partirse un brazo el segundo día de trabajo y con ese pretexto no volver a tocar una pala, y yo. La carga despedía una fetidez dulzona que se nos pegaba en las ropas y en la piel. Allí pensé que habían terminado en verdad mis días de vino y rosas, si es que alguna vez los tuve. Por fortuna, a los cinco meses de navegación el maldito barco se desmoronó contra un bloque de hielo que flotaba frente a la costa canadiense. Nos rescató un guardacostas y desembarcamos en Vancouver. El Fondo de Socorro Marino nos dio algún dinero para ir viviendo unas semanas. Fue, entonces, cuando un canadiense lunático me convenció de intentar lo de la mina de Cocora.

Muchos otros recodos de la vida, en los que recordaba haber pasado crisis peores que la que por entonces me agobiaba, fueron evocados esa tarde sin resultado alguno, como es obvio. Resolví salir a la calle para andar un poco y aprovechar el buen tiempo. Dejé las callejas con los bazares hindúes y me iba acercando a la zona de los grandes hoteles cuando, sin señal alguna que lo precediera, empezó a caer un aguacero que bien pronto se convirtió en verdadera tromba que amenazaba arrastrar con todo. Me guarecí en la primera entrada que encontré. Se trataba de un pequeño hotel con ciertas pretensiones de lujo, en cuyo vestíbulo, fuera de las sillas de costumbre y las mesas con periódicos y revistas más o menos atrasados, había algunas máquinas tragamonedas alineadas en el costado que daba a la piscina y al patio principal. Traté de no hacerme muy notorio, aunque el lugar parecía desierto. No solamente estaba empapado sino que mis ropas hacía mucho habían perdido la última oportunidad de ser presentables.

La vi de espaldas, manipulando una de las máquinas que producía toda suerte de sonidos y campanilleos anunciadores de un acierto en las figuras. Dudé un instante. Era casi imposible que estuviera en Panamá, si me atenía a las últimas noticias que de ella tenía. Me acerqué y volvió el rostro con esa expresión tan suya de regocijada sorpresa que a cada instante le afloraba con cualquier pretexto. Sí, era ella. No cabía la menor duda:

–¡Ilona! ¿Qué haces aquí? –acerté a decirle torpemente.

–¡Gaviero loco! ¿Qué diablos haces tú en Panamá?

Nos abrazamos y luego, sin decir palabra, fuimos a sentarnos en un pequeño bar que había en el patio, protegido por una marquesina invadida por enredaderas. Pidió dos vodka-tonics. Se quedó mirándome un rato que pareció interminable. Luego, me dijo con un tono en el que se insinuaba cierta alarma casi piadosa:

–Ya veo. No andan bien las cosas, ¿verdad? No, no me cuentes ahora nada. Tenemos todo el tiempo del mundo para ponernos al día. Lo que me preocupa es encontrarte precisamente en el lugar en donde jamás debieras haber anclado. De aquí no sale nadie y menos si llega hasta donde veo que tú has llegado. Aquí hay que estar de paso, nada más. Sólo de paso. Pero, dime, allá adentro, ya sabes a lo que me refiero, allá, en el fondo, donde guardas lo tuyo, ¿cómo está todo? –me miraba con atención de pitonisa fraterna, de hembra que conoce muy bien al hombre al que interroga.

–Eso, ahí –le contesté con voz que a mí mismo me sorprendió por regocijada y serena–, sigue muy bien. Todo en orden. Lo malo es lo otro. Lo de afuera. Tienes razón, aquí era justamente donde no había que vararse, pero así sucedió, no tuvo remedio. Tengo dos dólares en el bolsillo y son los últimos. Pero ahora que te veo, que te siento aquí, frente a mí, te confieso que todo eso se convierte en un pasado que se esfuma en este instante gracias al vodka, al olor de tu pelo y al acento triestinopolonés de tu español. Vuelvo otra vez a sumergirme en algo muy parecido a la felicidad.

–Muy mal deben andar las cosas para que te pongas sentimental y galante. Además, no te va –comentó riéndose con ese sarcasmo que solía usar siempre para esconder sus sentimientos. Entrábamos de lleno al tono normal de nuestras relaciones, hecho de un humor que, a menudo, podía llegar a lo macabro y de la regocijada constatación de los lazos que nos unían y de los saltos de carácter que, sin separarnos, acababan siempre lanzándonos hacia caminos opuestos.

Con las monedas que había ganado pagó la nota de las bebidas, dejó una propina de rajá y se puso de pie. "Ven –me dijo–, sube a secarte la ropa y a darte un baño. Pareces amante de gitana pobre." La seguí hasta el ascensor y subimos a su cuarto. Me obligó a entrar en la tina llena de agua caliente y metió mi ropa en una bolsa de lavandería del hotel. Me afeité con el rastrillo con el que se rasuraba las piernas. Por las ventanas abiertas tornaba el calor espléndido después de la lluvia, que otra vez se alejaba manchando el mar con una ceniza sombría. Se acostó a mi lado en la gran cama doble y comenzó a acariciarme, mientras murmuraba a mi oído, con voz profunda imitando la del benedictino que nos guió una vez por la abadía de Solesmes: "Gaviero loco, Maqroll jodido, Gaviero loco, Maqroll ingrato" y así hasta que, entrelazados y jadeantes, hicimos el amor entre risas; como los niños que han pasado por un grave peligro del que acaban de salvarse milagrosamente. Con el sudor, su piel adquiría un sabor almendrado y vertiginoso. La noche llegó de repente y los grillos iniciaron sus señales nocturnas, su cántico pautado de silencios irregulares que recordaban el ritmo de alguna respiración secreta y generosa del mundo vegetal. Por las ventanas abiertas entraba un olor a tierra mojada, a hojarasca que empieza a descomponerse. La música de un restaurante chino, contiguo al hotel, nos recordó un episodio compartido en Macao del que salimos vivos de milagro. Ninguno de los dos lo mencionó. No hacía ninguna falta.

Ilona. Todo un personaje, la mujer. Cuántas cosas he vivido a su lado y cuántas podían aún sucederme en su compañía. Había nacido en Trieste de padre polaco y madre triestina, hija de macedonios.

–Pronuncia bien. Así, mira: Thesaloniki –y apoyaba la lengua bajo los dientes delanteros–. Ilona Grabowska –*grande famille*, solía comentar con sorna. El apellido pasaba por distintos avatares, según las circunstancias. En cierta ocasión la encontré en Alicante, circulando como Ilona Rubinstein. Cuando le comenté que estaba exagerando un poco, arguyó razones que tenían que ver con un complejo negocio de tapetes que habíamos emprendido para decorar un banco de Ginebra y, en verdad, el apellido ayudaba al asunto por las vías más inesperadas. Era alta y rubia. Tenía ademanes un tanto bruscos. El pelo corto, color miel, se lo acomodaba constantemente con un gesto de la mano que la hacía reconocible a primera vista aunque estuviera a mucha distancia. Cuando la vi en el vestíbulo, ella tenía las manos ocupadas en el tragamonedas y de allí mi desconcierto momentáneo. A los 45 cumplidos, sus piernas esbeltas y firmes avanzaban imprimiendo al cuerpo ese elástico balanceo propio de los adolescentes. El rostro redondo, los labios sobresalientes y bien delineados, denunciaban la sangre macedónica. Los dientes delanteros grandes y ligeramente prominentes le daban una perpetua expresión burlona e infantil. La voz, algo ronca, pasaba de los acentos graves a una gama cantarina cuando deseaba afirmar algo con énfasis o relatar algún hecho que le emocionaba especialmente. Nunca se le conoció un hombre por mucho tiempo. Pero conservaba con sus amigos, algunos de los cuales habían sido amantes ocasionales, una lealtad a toda prueba y una preocupación por lo que pudiera sucederles que llegaba, a menudo, hasta el sacrificio. No tenía la menor idea del valor del dinero y lo usaba indiscriminadamente sin parar mientes en quién era el dueño. Tampoco tenía apego alguno por las cosas, de las que podía prescindir con una facilidad instantánea. Le vi una vez quitarse una bella pulsera que compró en Estambul, para dársela a un chofer que nos había llevado hasta Mendoza a través de los Andes, por una carretera prácticamente intransitable. Si había algo que la sacaba de sus casillas era la tontería, la necia estulticia mezclada con la pomposa suficiencia, tan comunes entre gentes apegadas a las opacas rutinas de la pequeña burguesía y que suelen también pulular en la burocracia, idéntica en los cinco continentes. A un infeliz gerente de banco en Valparaíso, que intentó dictarle cátedra sobre la imposibilidad de hacer un giro al exterior, le soltó, de repente, en voz tan alta que oyeron hasta los que pasaban por la calle: "Váyase a la mierda con todo y sus anteojitos de moldura dorada y sus transacciones bancarias reguladas, ¡huevón!" y le volvió la espalda después de hacerle una seña con el brazo que dejó al hombre aún más perplejo.

La conocí en una *crêperie* de Ostende, donde me había refugiado huyendo de la lluvia. Una de esas lloviznas heladas, menudas, persistentes, típicas de Flandes, que nos dejan empapados en segundos sin que nos demos cuenta. Entró poco después de mí. Yo me hallaba sentado en una frágil mesita, recostado en la vidriera que daba al muelle, saboreando una crepa con ricotta. Ella, sin verme, sacudió la cabeza para secarse el pelo y el agua me cayó encima. "¡Ay, perdone! Me da la impresión que le arruiné la crepa. Pidamos dos y lo acompaño mientras cesa de llover." Era imposible negarse a una invitación hecha con tan cordial desenfado. Nos hicimos amigos. Vivimos juntos varios meses, andando por los puertos de La Mancha y de Bretaña enfrascados en un complejo negocio de contrabando de oro. Idea de un austriaco que fue su amante y había caído en manos de la policía en Zurich. "Quiso involucrarme en otras estupideces suyas, cometidas en New York. Se portó como una rata, pero la idea del oro puede funcionar por un tiempo." Con esas palabras había liquidado el asunto del austriaco. Nunca lo volvió a mencionar. Tenía esa capacidad de olvido absoluto para quienes habían violado las leyes no escritas que imponía a la amistad y que se extendían, en buena parte, a toda relación de negocios o de cualquier orden que se le presentara en la vida. Terminamos instalándonos en Chipre y allí se nos unió Abdul Bashur. Traía la idea de los banderines de señales para la marina mercante que, con leves modificaciones en sus formas y colores, servían a los contrabandistas para comunicarse entre sí y darse el alerta sobre las actividades de los guardacostas. Lo ensayamos con el *Hansa Stern* de Wito y con dos cargueros libaneses y el asunto marchó a la perfección. Ilona acabó estableciendo con Bashur una relación amorosa en la que tomaba un tono protector y mi buen Abdul jugaba a que eso le parecía lo más natural del mundo. Él, que dominaba hasta las más intrincadas y laboriosas artes de la astucia que suelen practicar los levantinos desde niños. Como sólo Ilona sabía hacerlo, todo sucedió sin la menor dificultad entre nosotros y sin que la antigua y mutua consideración que a Bashur y a mí nos unía sufriera menoscabo alguno. Me instalé un tiempo en Marsella para promover lo de las señales y ellos se fueron a Trieste a liquidar una herencia de nuestra amiga. Herencia que luego se evaporó entre impuestos y multas pendientes que pesaban sobre la propiedad en litigio. "Yo que creía –comentaba Ilona– que iba a heredar al menos el castillo de Miramar. Sólo me tocaron las deudas de la cabaña del guardabosque" y soltaba su risa estrepitosa y jocunda.

No volvimos a vernos por varios años hasta que, un día, me la encontré al subir al ferry que lleva a la isla de Man. Caía esa permanente lluvia escocesa que tanto ayuda a resaltar los verdes de la vegetación y ataca los bronquios con implacable puntería. Nos refugiamos en una modesta pensión de Ramsey, yo con cuarenta de fiebre y una laringitis que me mantenía mudo y ella aprendiendo a tejer unos improbables suéteres cuyas mangas jamás lograban coincidir. De allí nos rescató Wito, enviado por Abdul. Viajamos a Rabat para curarme los bronquios e iniciar lo de las alfombras para el banco de Ginebra. Ilona viajó luego a Suiza y meses después nos dimos cita en Alicante. Fue allá donde la hallé transformada en Ilona Rubinstein.

Tenía la condición de aparecer y desaparecer de nuestras vidas. Al partir, lo hacía sin que pesara sobre nosotros ninguna culpa ni hubiera, de nuestra parte, motivo para llamarnos a engaño. Al llegar, traía una especie de renovada provisión de entusiasmo y esa capacidad tan suya de disipar, en un instante, todas las nubes que se hubieran acumulado sobre nosotros. Con ella se partía siempre de cero. La inagotable provisión de recursos que tenía a la mano para salir del mal paso, nos daba la impresión de que a su lado inaugurábamos cada vez la vida con todos los obstáculos resueltos providencialmente.

Le conté el episodio del *Hansa Stern* y la muerte de Wito. "Ya lo sabía –se limitó a decir–. Lo sabía desde cuando lo vi por primera vez. A la vida no le gusta que la traten así, como si estuviera sentada en el banco de la escuela." Terminé relatándole mis intentos en Panamá para hallar la salida del túnel en que me encontraba. La historia del cochero vienés le produjo una hilaridad incontenible. "Los conozco muy bien –comentó–. Me parece verlo. Lo miran a uno como si no fuera a pagar. En Trieste quedaban algunos. Los veía cuando iba a la escuela de la mano de mi padre. Siempre se quitaban el sombrero al saludarlo y le decían con mucho respeto y esa voz gruesa de bajo ruso: Buenos días, señor conde. Ya sabes que mi padre no era conde, desde luego, pero en Trieste todos lo llamaban así por su porte y sus ademanes de oficial de lanceros." Cuando le conté de Abdul y las libras que me facilitó, justo cuando él mismo pasaba por malos tiempos, se limitó a mover la cabeza y a sonreír cariñosamente, como indicando que conocía de memoria esa fase entrañable de nuestro común amigo. Al terminar mi historia, que ella había insistido en escuchar antes de relatar la suya, Ilona se puso de pie, fue a darse una ducha y regresó envuelta en una toalla. Sentada a los pies de la cama, frente a mí, comenzó, con una expresión entre seria y ausente: "Lo mío es más sencillo, Gaviero, y menos interesante. Después de lo que tú llamaste la operación alfombra y te fuiste al Perú con la necedad ésa de las canteras de Chiclayo, viajé a Oslo, donde vive una prima que tiene un negocio de artículos de belleza fabricados a base de algas marinas. Una historia de esas que los franceses llaman *à dormir debout*. Allí pasé dos años como socia suya. Un fracaso, como era de esperarse. A quién se le ocurre un negocio de esa especie en un país en donde más de la mitad del año es de noche y las mujeres tienen piel de niña y estatura de artillero. En Oslo volví a encontrar a Eric Bandsfeld, aquel luxemburgués que quería casarse conmigo en Chipre y a quien tú pasaste toda una noche explicándole que yo no sería nunca esposa de nadie y que llevaba ya quemada media vida en cosas muy diferentes a las tareas del hogar. Parece que lograste convencerlo, a pesar de su sajona tozudez incorregible. En esta ocasión llegó con intenciones un poco menos ambiciosas y lo acompañé en dos viajes a Hong-Kong. Seguía con el asunto de las perlas, que le había dado tan buenas ganancias cuando lo conocimos. Las cosas cambiaron y tuvo que mudar de actividad. Instaló en Bruselas un restaurante vegetariano. Al comienzo, aquello fue como las cremas de algas en Oslo, pero luego, las belgas entraron por el aro de las dietas para adelgazar. Bien lo necesitan, ya las conoces. Eric se instaló allí definitivamente con una mina de oro en las manos. Me fui al África del Sur y puse un cabaret con *strip-tease* que trataba de copiar el Crazy Horse. Todo marchó bien hasta cuando comenzaron los problemas raciales. Las autoridades me exigieron que despidiera a dos preciosas haitianas que imitaban un acto de amor mientras una hablaba por teléfono. Era el número fuerte del negocio. Preferí liquidar y regresé a Trieste. Bueno, no te voy a contar todo en detalle. Dos o tres aventuras de rutina, de ésas que uno comienza a sabiendas de que no van a funcionar y, sin embargo, se lanza de cabeza para hacer algo, por pura inercia y porque tal vez aquello sirva de puente para entrar en otra cosa; en lo nuestro, ya sabes. Un año después fui a las islas Canarias con un fulano que se decía niño rico, heredero de una fortuna en Tenerife. Ni niño, ni rico, ni herencia. Un imbécil con muy buena planta. Tenía más conversación un poste de telégrafo. Pero en Canarias encontré una viuda húngara que me propuso que instaláramos en Panamá una *boutique* de modas con modelos auténticos de los grandes modistos y ropa interior también de marcas muy exclusivas. Nada de piezas de segunda ni falsificaciones. Me explicó que Panamá ya estaba listo para esa clase de negocio. De los países vecinos acudían cada vez más clientas ricas, con gusto exigente y refinado. No ya la clase media que hasta ahora pasaba por aquí. Nos pusimos de acuerdo, tan de acuerdo que terminamos en la cama. En ese campo debo reconocer que era maestra. Pero cayó en la tontería de enamorarse en serio, con escenas de celos, llantos y dramas en magiar que ahuyentaban la clientela y me dejaban agotada y sin ánimos para nada. Ya sabes aquí cómo actúa el clima sobre los nervios, acolchándolos, forrándolos en una especie de espuma elástica que hace que las señales del mundo exterior lleguen tarde y apagadas. Me costó mucho convencerla de que yo no era la persona que ella había forjado en su calenturienta imaginación y que tampoco tenía vocación para instalarme en una pesadilla. Yo no había tenido otra intención que pasar algunos ratos divertidos y nada más. Puso el grito en el cielo. Liquidamos el negocio. Hace dos semanas regresó a Londres. Iba resuelta a reanudar un viejo amor con una pianista chilena a la que una vez le disparó. No le dio, por suerte, pero tuvo serios conflictos con la policía inglesa. Y, bueno, aquí me tienes. En este Hotel Sans Souci, con una cuenta en el Indian Trade National Bank que me permite vivir, sin mayores lujos desde luego, pero tampoco acosada por la miseria. Ahora, te propongo una cosa: vamos al Miramar mañana, pagamos tu cuenta y traes aquí tus cosas. Si es que tienes algo porque, viendo lo que tenías puesto, me imagino que no queda mayor cosa. Hacemos una sociedad, como siempre. Repartimos lo que ganemos como producto de nuestros reconocidos talentos y ya veremos. ¿De acuerdo?" Ni siquiera necesité responderle que sí. Era el mismo trato que nos había unido en otras ocasiones ya fuera con mi dinero o con el suyo. Bien sabía que iba a funcionar sin tropiezos. Como siempre.

Al día siguiente fuimos, en efecto, al Hotel Miramar, pagamos la cuenta y recogí un par de camisas, unos zapatos tenis intransitables y unos pantalones de mezclilla, informes y manchados de aceite, que guardaba más por agüero y cariño que con intención de usarlos. Eran de mis días de New Orleans y del *Hansa Stern* y no quería salir de ellos.

Hay prendas que adquieren el valor de amuletos. Suponemos que nos protegen contra el desastre y por eso jamás me desprendo de ellas y de sus hipotéticos poderes propicios nunca probados.

La vida con Ilona se cumplía indefectiblemente, en dos niveles o, mejor, en dos sentidos simultáneos y paralelos. Por un lado, había un estar siempre con los pies en la tierra, en una vigilancia inteligente pero nunca obsesiva de lo que nos va proponiendo cada día como solución al rutinario interrogante de ir viviendo. Por otra, una imaginación, una desbocada fantasía que instauraba, en forma sucesiva, espontánea y por sorpresa, escenarios, horizontes siempre orientados hacia una radical sedición contra toda norma escrita y establecida. Se trataba de una subversión permanente, orgánica y rigurosa, que nunca permitía transitar caminos trillados, sendas gratas a la mayoría de las gentes, moldes tradicionales en los que se refugian los que Ilona llamaba, sin énfasis ni soberbia, pero también sin concesiones, "los otros". ¡Ay de aquél que, a su lado, mostrara la más leve señal de ajustarse a esos modelos! En ese instante cortaba todo nexo, toda relación, todo compromiso con quien hubiera caído en tan imperdonable debilidad y jamás volvía a ser mencionado. Iba a sumarse a "los otros", es decir, no existía. Para quienes habíamos vivido con ella algún tiempo, una mirada suya bastaba para indicarnos que estábamos acercándonos a la zona de peligro. Abdul contaba, al respecto, una anécdota que ilustra muy bien este principio de nuestra amiga: en cierta ocasión en que viajaban juntos, Abdul quiso enviar a un socio suyo, en un negocio en donde todas las ventajas habían sido para éste, una tarjeta postal para agradecerle la hospitalidad en una quinta de veraneo que les había facilitado en la isla de Khyros para pasar el verano. Cuando le alargó la postal a Ilona para que ella también pusiera su firma, ésta lo miró a los ojos un instante y regresó al baño en donde se estaba peinando. No dijo una palabra, Abdul rompió la postal y tiró los pedazos en el escusado. El asunto no se comentó sino varios meses después, cuando los encontré en Marsella. Comíamos en el puerto una langosta preparada con aceite de oliva y ajos, acompañada de un humilde Muscadet que tenía, sin embargo, una alegría reconfortante, marina y escueta. Abdul relató el incidente en tono regocijado y burlón. Ilona reía también, pero cuando Bashur terminó, se nos quedó mirando con expresión de Minerva enojada y se limitó a comentar:

–Estuvo en peligro muy grave este libanés con su cortesía *mal placée*. Se jugó la cabeza.

–Lo supe al instante –dijo Bashur ya un poco menos regocijado, tomando un buen trago de vino para disimular el fugaz pánico que sembraron las palabras de Ilona.

Los días iban pasando tranquilamente. Las lluvias se fueron espaciando y entramos de lleno al verano soberbio del istmo que tiene para mí secretas y muy eficaces virtudes de exaltación. Mencioné un día el asunto de nuestras economías e Ilona comentó: "Mira, vamos a olvidar por ahora el asunto. Si nos preocupamos por esto, ya sabes de sobra que no va a aparecer la solución. No hay prisa, además. Sí, ya sé, éste no es lugar para quedarse toda la vida. No existe, por lo demás, semejante sitio. Al menos para nosotros. Lo malo de las crisis como la que acabas de sufrir, es que minan esa confianza en el azar, esa fe en lo inesperado, que son condiciones esenciales para encontrar la salida. Deja que pasen las cosas, ellas traen escondida la clave. Si se busca, se pierde la facultad de descubrirla." Tenía razón. Me di cuenta, entonces, de lo profundo de mi caída y de hasta dónde ésta había entorpecido y paralizado los resortes del mecanismo que otorga una ciega confianza en nuestro sino. Esa certeza propicia que tantas veces me había rescatado de tremedales aún peores que éste del que escapaba gracias a Ilona y a la lluvia que la había traído.

Hacíamos el amor por las tardes, con la lenta y minuciosa paciencia de quien levanta castillos de naipes. Después del torrencial y liberador derrumbe de las cartas, nos lanzábamos a evocaciones de comunes amigos, de lugares compartidos y disfrutados en otras épocas, de platos inolvidables saboreados en rincones sólo por nosotros conocidos y de tempestuosas borracheras que habían terminado, indefectiblemente, en las estaciones de policía o en las capitanías de los puertos. En ambos lugares, todo se arreglaba gracias a una eficaz y alternada sucesión de sofismas en los que éramos maestros. Una noche nos atacó una crisis de risa incontenible al recordar esa madrugada en Amberes en la que fuimos a parar a la delegación de policía. Allí, un apacible gendarme belga, de grandes bigotes cobrizos y entrecanos, miraba a Ilona con ojos atónitos y trasnochados, mientras ésta le explicaba, muy seria, que yo era hermano suyo y que acababa de rescatarme de un sanatorio psiquiátrico en el que me habían recluido los patrones del barco en donde era maquinista segundo. Trataban de quedarse con la indemnización a que tenía derecho terminado mi contrato. El pobre flamenco se rascaba la cabeza con un lápiz, mientras nos observaba con una incredulidad que podía resolverse, de un momento a otro, en una multa considerable o en varios días tras las rejas. Al fin nos pidió que nos largáramos y no volviéramos a aparecer por allí. Cosa que obedecimos desde luego, al menos en parte. No volver a Amberes era impensable porque entonces usábamos ese puerto como base de nuestras incursiones por la costa bretona y el Cantábrico. Y así, una tarde tras otra, íbamos recorriendo nuestros días en común o con amigos como Abdul a los que nos unía la solidaridad imbatible de quienes no quieren el mundo como se lo dan sino como ellos se proponen acomodarlo.

Si bien el pacto de no hablar ni ocuparnos de nuestras finanzas era respetado rigurosamente, los dos sabíamos que la cuenta del Indian Trade National Bank se iba mermando sin remedio. No era para alarmarse, pero llegaría el momento en que el saldo restante representara, precisamente, el último recurso para salir de Panamá. Antes de que tal cosa sucediera, había que encontrar esa solución mágica que siempre nos había salvado y en la que teníamos, Ilona sobre todo, una fe muy semejante a la que sostiene al equilibrista en mitad de su trayecto. Fugaces alusiones, breves silencios, comentarios que rozaban la tangente de lo inmencionable, indicaban que a los dos nos preocupaba el asunto, a tiempo que conseguíamos que no interfiriera el ritmo de vacaciones sin término que le habíamos impuesto a nuestros días. En la mañana, horas de sol en la piscina del hotel, al mediodía, almuerzo en La Casa del Marisco o en el Matsuei, cuyo surtido de sushi era algo más que estimable; tarde de siesta y erotismo diluido en nostalgias regocijantes y, en la noche, recorrido por casinos de los grandes hoteles, más para ver a la ávida clientela de orientales y suramericanos perder su dinero como si estuvieran en Montecarlo pero con maneras de metecos irredentos. La noche terminaba en algún cabaretucho de segunda clase en donde, con un esfuerzo de imaginación bastante estítico, se desnudaban mujeres cuya nacionalidad jugábamos a adivinar, casi siempre sin éxito: la "despampanante chilena" que anunciaba el presentador, resultaba una muy trajinada pupila de un burdel de Maracaibo, la "sensual argentina", irremediablemente confesaba ser de Ambato o de Cuenca y, a veces, de Guayaquil, pero siempre ecuatoriana. El colmo de nuestro despiste fue la noche en que apostamos que la "picante uruguaya" era colombiana y resultó ser, en efecto, de Tacuarembó. La variedad de lugares no era mucha, es cierto, y, menos aún, la de mujeres en el escenario. Nuestras incursiones en ese mundo se fueron espaciando y preferíamos quedarnos en algún tranquilo bar del Hilton o del Roosevelt, tomando, sin prisa y sin pausa, cocteles que sometíamos a una ligera modificación de su fórmula original. El heterodoxo resultado era sometido a una meticulosa escala de valores. Allí nació el vodka martini bautizado como Panamá Trail y al que, en vez de Noilly Prat, le agregábamos kirsch. Producía una lenta euforia que nos llevó a consagrarlo como uno de los más logrados hallazgos en nuestra larga carrera de alcohólicos confesos, fieles a una ya más que probada doctrina de gustos y reglas laboriosamente conquistados.

Los primeros y apenas perceptibles signos de la necesidad de cambio en la rutina que estaba haciéndose ya más larga de lo tolerable, comenzaron a surgir en forma soterrada pero cada vez más evidente. En vez de bajar a la piscina, nos quedábamos en la cama prolongando un sueño improbable, con caricias eficaces pero hasta cierto punto invocadas como pretexto para permanecer en el cuarto. Los bares no tenían la barroca densidad de posibilidades que espera quien ha frecuentado los puertos del Mediterráneo. Hay un momento en que la falta de un buen blanc cassis o de un auténtico negroni puede llegar a perturbar el ánimo. Igual sucede cuando se nos antoja ese oportuno arak con hielo, que tratábamos de substituir con sucedáneos que sólo sirven para irritar aún más la frustrada apetencia. Antes de que la situación alcanzara un grado crítico que nos hubiera puesto ante la necesidad de una solución radical, Ilona tuvo una de sus iluminaciones.

Villa Rosa y su gente

Estábamos una tarde en la terraza que prolonga el vestíbulo del Panamá Hilton, tomando cervezas Tuborg que un mesero, con el que estábamos en los mejores términos, nos consiguió merced a un sortilegio muy infrecuente en ese lugar. El calor reverberaba en el pavimento hasta deformar la imagen de los taxis que esperaban algún posible cliente con ánimo para salir de compras bajo semejante sol de justicia. Dos minibuses se detuvieron en la entrada y de ellos bajó la tripulación completa del DC10 de Iberia que hace escala en Panamá. Nos quedamos mirando esos tipos tan inconfundiblemente españoles a los que el uniforme no acaba de sentar. "Ningún uniforme puede irle bien a un español –comentó Ilona, siguiendo alguna observación que hice al respecto–. Tienen demasiado carácter, son demasiado romanos de la época de Trajano, para conseguir enfundarlos en esas ropas que llevan tan bien, en cambio, los sajones, que acaban pareciéndose todos entre sí con esa monotonía que los hace anónimos. Esta jefa de aeromozas, por ejemplo, te apuesto a que se llama Maite, vive en Madrid, que no le gusta, tiene un hermano en la marina mercante y otro pelotari." Le comenté que tal vez exageraba un poco. De todas maneras, no había manera de confirmar sus conjeturas. No iba a ser yo quien fuera a preguntar a la espigada y elegante trigueña de tez tostada y anchos hombros, cosas tan personales. Ilona sonrió vagamente sin ponerme mucha atención. De pronto había adquirido ese aire de concentrada ausencia, anuncio indefectible de que empezaba a tramar alguna de sus famosas conspiraciones. Terminamos la cerveza y nos fuimos al Matsuei para intentar un buen buta dofu que nos alejara del ya demasiado familiar sushi. Hablamos poco durante la comida y menos al regresar al hotel. Nos tendimos en la cama, desnudos, con las ventanas abiertas en busca de una improbable brisa. Por el silencio de Ilona me di cuenta de que no era tiempo de ejercicios amatorios. Me interné en un sueño profundo, inducido por la cerveza del Hilton y el sake del restaurante japonés. Cuando me desperté, caía la tarde y los grillos empezaban a ensayar sus indescifrables señales vespertinas. Ilona estaba en la ducha. Intentaba cantar una canción polaca reemplazando las palabras olvidadas con un tarareo aproximado. Salió envuelta en una toalla con jeroglíficos egipcios que había comprado en el Bazar Ben-Rabí y que resultó hecha en San Salvador. "De todas maneras la calidad es excelente", comentó con la convicción de quien no se resigna a haber sido engañado. Se sentó a los pies de la cama, como siempre que quería plantear algo serio y, mientras se pasaba un cepillo por el pelo, comenzó a exponer el plan forjado durante la comida y madurado, seguramente, mientras yo dormía:

–Maqroll –me dijo–, tengo ya la idea de cómo vamos a salir de aquí con dinero suficiente y sin mucho trabajo. Es decir, sin mucho trabajo del que no nos gusta ni vale la pena intentar hacer. Ponme atención y no me interrumpas. Cuando termine, me dices qué te parece. Escucha: se trata de poner una casa de citas a la que asistirán exclusivamente aeromozas de las compañías de aviación que pasan por Panamá y de otras muy conocidas. No, no pongas esa cara. Ya sé en lo que estás pensando. Desde luego que no serían verdaderas azafatas. Todavía no estoy tan mal de la cabeza. Reclutaremos muchachas dispuestas a entrar en el negocio y cuya apariencia pueda hacerlas pasar por auténticas *stewardesses*. Mandaremos hacer uniformes. Se las someterá a cierta preparación previa: vocabulario del oficio, rutas de su compañía, personas que componen la tripulación, anécdotas de la rutina del servicio y de la vida en tierra, etc. Para conseguir las primeras candidatas, dispongo de una lista de clientas de la *boutique* que teníamos con Erzsébet Pásztory. Había algunas que estaban ya en la vida galante, como decía mi padre, y otras con una marcada vocación para ello. Para atraer a los clientes contamos con dos grupos de colaboradores, listos a participar mediante una suma de dinero que periódicamente les daremos: los *barmen* de los hoteles a quienes hemos sometido a la heterodoxia alcohólica y los capitanes de botones de los mismos hoteles, muchos de los cuales ya prestan ese servicio de información a los huéspedes. Sí, ya sé, todo se haría con una discreción rigurosa. De todos modos, tarde o temprano aparecerá la policía. También en la *boutique* adquirí cierta experiencia al respecto. Algunas de las muchachas tendrán que sacrificarse en aras del negocio. Algún dinero, estratégicamente colocado, hará el resto. La casa hay que buscarla cerca de los hoteles, en una zona que, siendo residencial, cuente ya con almacenes, restaurantes y uno que otro club nocturno. Cerca de este hotel he visto varias calles que cumplen con ese requisito. Buscaremos con cuidado. Sí, los propietarios, cuando se enteren de qué se trata, van a quejarse. Yo preferiría encontrar un dueño con el cual se pueda hablar francamente. El movimiento de la casa será sumamente discreto. Dos o, a lo máximo, tres chicas a la vez. Desde luego no habrá baile y la música en cada cuarto tendrá volumen controlado por nosotros. Las muchachas se vestirán dentro de la casa, antes de llegar los clientes. Éstos asistirán siempre con cita previa hecha por teléfono. Ellas no descenderán del taxi o del automóvil frente a la casa, sino en la esquina más cercana. Siempre una a la vez, nunca en parejas, ni acompañadas por amigos, maridos o lo que sea. Habrá que prever, a la larga, alguna queja de las compañías aéreas. No pueden ir muy lejos y te voy a decir por qué: los uniformes no serán exactamente iguales a los que usan las *stewardesses* auténticas. Se harán algunas modificaciones. Si el cliente pregunta, se le explica que es un nuevo uniforme que se está ensayando en ciertas rutas. El pago. La muchacha recibe lo que el cliente quiera darle, como es obvio. Pero el cliente, al llegar a la cita y antes de pasar a la habitación, tendrá que dar a la casa 100 dólares. La chica nos pagará a su vez una mensualidad fija, no importa el número de clientes que haya tenido. Si un cliente se encapricha con una de las pupilas, trataremos, en lo posible, de inventar dificultades para una nueva cita con ella: le asignaron otra ruta, está de vacaciones, asiste a un curso de entrenamiento en Miami o en Tampa, cualquier disculpa que suene muy profesional y lógica. Se trata de espaciar los encuentros, no de impedirlos rigurosamente. Si el cliente quiere estar con dos mujeres, se le dirá que eso es imposible porque ellas cuidan mucho el secreto de sus escapadas y no querrán ser vistas por compañeras, así sean de otra compañía. Esto, en principio. Un cliente conocido y ya de confianza podrá gozar de ventajas excepcionales. Ahora, te escucho.

Estaba atónito al ver cómo Ilona planeó todos los aspectos de la operación. Había olvidado sus talentos en ese campo. Así se lo comenté y sólo se me ocurrió agregar algo que, en verdad, me preocupaba mucho más que la mecánica misma del negocio, que veía enteramente viable y de indiscutible solidez.

–Me aterra –le dije– pensar que vamos a permanecer en Panamá por tiempo indefinido, en caso de que esto prospere. No voy a quedar aquí anclado toda la vida. Si Abdul levanta cabeza en sus negocios hay con él muchos planes por delante. Además, ya estoy un poco saturado del ambiente. Aquí no pasa nada. Es decir, pasa todo, pero no lo que me interesa.

–En eso estamos plenamente de acuerdo, Gaviero –contestó Ilona poniendo el cepillo sobre la cama–. Tampoco yo me voy a quedar aquí el resto de la vida. Me conoces lo suficiente para saber que si esto ya te tiene harto, a mí me tiene hasta aquí –se pasó la mano por la frente con brusquedad enfática–; pero se trata precisamente de reunir el dinero suficiente para salir de Panamá habiendo aprovechado, al menos, el tiempo invertido aquí. Justamente para poder iniciar con Abdul algo que valga la pena, necesitas contar con buen dinero. Ya sabes cuáles son sus planes. En el fondo él siempre ha soñado con ser un pequeño Niarkos –no pude menos de reír con esa observación tan acertada sobre las ambiciones de nuestro buen amigo. Acertada e irónica, porque Abdul nunca saldría, al igual que nosotros, de saltar de un expediente a otro, sin jamás cumplir sus sueños. Sueños que nosotros hace mucho tiempo prescindimos de forjar. Era evidente que la vida reserva siempre sorpresas mucho más complejas e imprevisibles y que el secreto consiste en dejarlas llegar sin interponerles castillos en el aire. Pero Abdul, como buen oriental, seguía fiel a proyectos de grandeza que desplegaba ante nosotros con elocuencia y convicción delirantes. Pero esto era otro asunto. El proyecto de Ilona era imbatible. Por el momento no se me ocurría ninguna objeción de fondo. Decidimos lanzarnos a la aventura con plena confianza en que serviría eficazmente a nuestros propósitos.

No fue difícil hallar la casa ideal. La dueña resultó ser una viuda ya entrada en años. Al poco rato de conversar con ella, nos dimos cuenta de que tenía un pasado bastante nutrido de episodios erótico-sentimentales en los que las convenciones no habían sido obstáculo mayor. Esto nos movió a confesarle tranquilamente el uso que pensábamos hacer de la casa. Se limitó a preguntarnos si también íbamos a vivir en ella. Le contestamos que desde luego pensábamos habitarla para darle el aspecto de cualquier residencia familiar respetable y tranquila. Nos pidió tres meses de renta adelantados, en vista de que no contábamos con un fiador que firmara el contrato. Estuvimos de acuerdo en todo y, al poco tiempo, habíamos conseguido decorar y amueblar la casa en un estilo en donde lo obvio se mezclaba con ciertas fantasías meridionales de Ilona que la hacían bastante habitable. En la planta baja había una sala muy amplia provista de chimenea. Ésta, en pleno trópico, nos produjo el mayor regocijo: "Sólo en América, Maqroll, sólo en América es posible semejante aberración encantadora", comentaba Ilona mirando el marco de piedra que adornaba, con esperpéntico barroquismo, esa pretensión de elegancia europea de los constructores. De la sala se pasaba a un comedor que arreglamos como otra pequeña sala en donde los clientes se encontrarían con su pareja. Una puerta plegadiza separaba esta salita más íntima de la principal. Dos habitaciones de la planta baja y un cuarto de la servidumbre se dispusieron como alcobas con baño independiente. En la planta alta viviríamos Ilona y yo, en cuartos separados por un baño común. También compartíamos una terraza que daba a un jardín abandonado de la casa lindante por la parte trasera. En otra habitación, también arriba, se arregló una cocina muy elemental y un bar bien provisto. El problema de la servidumbre lo solucionó Ilona muy fácilmente. La dueña de la casa nos visitaba de vez en cuando para observar las modificaciones que le proponíamos y que ella aprobaba con cierta sonrisa entre regocijada y añorante. Cuando Ilona le mencionó lo del servicio, doña Rosa –así se llamaba la viuda– le dijo que dispusiera de una de las dos negras que tenía en su casa. Vendría todos los días para hacer la limpieza de los cuartos y alguna tarea adicional que se ofreciera en nuestro piso. La solución era ideal. Nos faltaba únicamente un mozo para atender a los clientes. Un muchacho del Hotel Sans Souci, que conocíamos muy bien y nos simpatizaba mucho, aceptó irse con nosotros.

Ilona tenía lo que yo llamaba "raptos bautismales". Consistían en poner a las personas y a los lugares nombres de su invención que quedaban ya consagrados como definitivos. La casa recibió el de Villa Rosa. Al enterarme, debí poner cara de sorpresa, porque Ilona me comentó:

–Ya sé que no puede ser más cursi, pero hay que rendirle un homenaje a la dueña de la casa y a sus muchas horas de vuelo. ¿No crees?

No quedé muy convencido, pero me di cuenta de que sería inútil insistir. El muchacho que contratamos, que tenía el nombre muy común de Luis, pasó a llamarse Longinos. Era pequeño, regordete, moreno, de rasgos muy regulares y un poco afeminados. A primera vista, el apodo de Longinos no le iba para nada, pero con el tiempo nos acostumbramos, y él también, a su nuevo nombre. Esto sucedía siempre con los "bautismos" de Ilona; tomaba cierto plazo descubrir su acierto indiscutible y revelador.

Cuando todo estuvo listo, nos trasladamos a Villa Rosa. Ilona entró en contacto con las presuntas azafatas. Hablaba de una "planta básica de disponibilidad inmediata". Me recordó a los políticos y, sobre todo, a los economistas: al ponerle nombre a una determinada actividad, ésta cobra una evidencia irreductible, una vida inmediata y fuera de duda. Quedaba el asunto de los uniformes. Yo di la solución y siempre insistí en que se me reconociera este aporte fundamental. Longinos tenía muchos y muy buenos amigos entre los botones de los hoteles en donde pernoctaban las tripulaciones. Con ellos se confabuló para distraer, por unas horas, los uniformes que las azafatas entregaban para planchar o lavar. Una costurera, que había trabajado en la *boutique* haciendo arreglos en la ropa que se vendía, copió los trajes e introdujo pequeños cambios, de acuerdo con indicaciones de Ilona. A los pocos días el surtido de uniformes estaba listo. Nos dedicamos, entonces, a visitar de nuevo los bares de los principales hoteles. Allí comenzaba una etapa delicada del negocio. Es sabido que la policía está en permanente contacto con los *barmen*, meseros y capitanes de botones que representan una fuente de información invaluable. Se trataba, pues, de interesarlos desde un principio con dinero suficiente como para que no pasaran el dato a las autoridades. Fuimos con mucha cautela. A los pocos días comenzamos a recibir las primeras llamadas. El personal femenino estaba ya medianamente entrenado y el negocio comenzó, con la lentitud que habíamos previsto, pero sin tropiezos mayores y sobre bases muy firmes.

Doña Rosa aparecía periódicamente. Disfrutaba mucho con las anécdotas que le contábamos sobre el que ella llamaba nuestro tráfico de azafatas. Debo confesar que muchas de las cosas que allí sucedieron se han borrado de mi memoria, debido, tal vez, al catastrófico fin, de cuyas consecuencias jamás me repondré cabalmente. Tengo un recuerdo un tanto confuso de todo ese periodo y sólo me vienen a la memoria algunos rostros, el acento de ciertas voces y uno que otro episodio notable. Las primeras pupilas de la casa fueron cinco. Cada una se ajustaba perfectamente al tipo requerido por la línea aérea que suponía representar. Una rubia nacida en Maracaibo, de padre tejano y madre portuguesa, que hablaba un inglés bastante aceptable, hacía a la perfección el papel de *stewardess* de la Panagra. Una morena de piel color tabaco, facciones de corte clásico y pelo negro liso estirado con un moño que le daba un aire lejanamente andaluz, también cuadraba muy bien con el uniforme que suponía ser de la KLM. Le inventamos unos padres en Aruba y un vago pasado universitario en Barranquilla. En verdad era de Puerto Limón y farfullaba un inglés aceptable. Para las compañías colombianas y venezolanas, el asunto fue mucho más fácil. Con dos panameñas y una salvadoreña, nos arreglamos bastante bien. Todas ellas habían conocido a Ilona en la *boutique*. Ya entonces, le habían insinuado la necesidad que tenían de redondear sus entradas. Salían de vez en cuando con algún hombre de negocios que encontraban en el bar del Hilton o del Continental, pero esto no les bastaba para pagar el vestuario y otros gastos destinados al mantenimiento del barniz de respetabilidad, indispensable para atraer clientes generosos. La fórmula de Villa Rosa venía a resolverles el problema.

Recuerdo cuál fue el primer escollo con el que tropezamos y que fue salvado gracias a una coordinación providencial entre Ilona y Longinos. Una noche, hacia las once, llegó un cliente que había llamado por teléfono en dos ocasiones y al que, por una razón u otra, no fue posible concertarle el encuentro que quería con la azafata de la KLM. Esa noche la cita estaba fijada. Llegó con alguna anticipación. Longinos subió a preguntar por Ilona. Traía los ojos desorbitados por el espanto. No era para menos: el cliente en cuestión trabajaba, al parecer, en la KLM. Longinos lo conocía de tiempo atrás. Lo había visto acompañar las tripulaciones al hotel. Ilona bajó a enfrentar el problema. El asunto no era fácil. En efecto, nuestro huésped había trabajado en el departamento de carga de la KLM. Ya no estaba allí. Tenía su propio negocio en Colón como agente aduanal. Ilona, ganando los minutos que quedaban antes de que llegara la supuesta arubeña, logró enterarse que se trataba de un enamorado que ardía de celos por un viejo y callado amor de sus tiempos en la compañía holandesa de aviación. Buscaba desesperadamente a una azafata que se había negado siempre a sus proposiciones. Estaba seguro de que era la que venía a Villa Rosa, porque una mujer que leía el tarot se lo había predicho en vagas alusiones que el desesperado amante interpretaba a su manera. Por una clave convenida de antemano con Longinos, Ilona supo que la muchacha esperaba ya en la salita contigua. Le ofreció un whisky al cliente, como cortesía de la casa, y salió para hablar con la mujer. En pocos minutos la hizo cambiar de uniforme y regresar al saloncito. Volvió con el cliente y le explicó que la amiguita de la KLM había fallado. Asistía a un curso de entrenamiento en Amsterdam. Pero lo esperaba una preciosa muchacha de Avensa que venía por primera vez. El hombre se despidió con lágrimas en los ojos, presa de una confusión indescriptible. Balbuceó algunas palabras y pagó la suma correspondiente a la cita que había hecho.

Este incidente nos abrió los ojos sobre posibles complicaciones que podían sobrevenir con gente de las compañías cuyo nombre usábamos.

–Tenemos que usar uniformes de empresas que no estén representadas aquí. Diremos que se trata de tripulaciones en tránsito que van a recoger un avión que se dañó en otro lugar del Caribe –Ilona hallaba siempre esas soluciones instantáneas, en las que ponía una fe irrestricta. Le comenté que esto debilitaba un poco el interés del cliente y podía despertar sospechas sobre la autenticidad de lo que ella llamaba "nuestra oferta básica". Arguyó con leve acento compasivo–: ¡Ay, Gaviero inocente! No sabes las cosas que están dispuestos a creer los hombres cuando se trata de llevarse una fulana a la cama. Si yo te contara…

Otra noche nos llamó el *barman* del Hotel Regina para informarnos que nos llamaría un cliente muy especial: se trataba de un turco de Anatolia, ciego, inmensamente rico, que manejaba grandes capitales de socios suyos que confiaban en su olfato infalible para hacer inversiones en papeles bancarios, con ganancias considerables. Pasaba la vida en avión, siguiendo el rumbo de sus corazonadas. Quería estar con dos mujeres al tiempo. El hombre llamó al poco rato y le contesté en un turco más bien inexistente. Él siguió en un francés impecable. Me confirmó su deseo y le contesté que al día siguiente le llamaría para informarle la hora en que podía venir. Lo comenté con Ilona.

–Hay dos problemas –comentó– que no te han pasado por la mente y que son críticos. Primero, si es ciego, vendrá con alguien que le sirve de lazarillo; esto puede arreglarse porque lo hacemos esperar en la sala y las muchachas se encargan del *effendi* anatolio. El otro es que, si ha viajado tanto y tiene debilidad por las *stewardesses*, debe conocer los uniformes al tacto. Allí es posible que encuentre su mayor placer y más si es viejo como parece ser el caso. Los ciegos son terriblemente desconfiados. Cualquier variación en el uniforme le va a despertar sospechas. El cuento de que es un modelo nuevo que se está probando en algunas rutas, es posible que no se lo trague fácilmente. Pero ahora es inútil preocuparse. Estaré presente cuando pase a la salita de espera y conozca a las muchachas. Ya veremos. Estos turcos son endiabladamente difíciles pero en Trieste los manejamos a nuestro antojo; de lo contrario nos hubieran comido hace siglos.

El hombre llegó puntual, a las seis de la tarde, como habíamos convenido. Lo acompañaba una mujer que a leguas se veía hermana suya: los mismos cabellos crespos y rojizos, los mismos ojos saltones, en ella color verde botella, en él cubiertos por una nata irisada y blancuzca. El hombre debía tener ya sus 80 años bien cumplidos, pero ostentaba esa fortaleza levantina que permite estacionarse en una edad que aparentaría los 65. Así llegan, a menudo, a cumplir 100 años. Mueren de un paro cardíaco en la cama de alguna amante o detrás del mostrador de su negocio. La hermana era un poco menor y no sonreía jamás. Pidió un té, mientras su hermano pasaba al saloncito acompañado de Ilona. Las dos muchachas que le teníamos reservadas al *effendi* se pusieron de pie. El hombre se acercó a ellas y, tal como Ilona lo había previsto, las recorrió minuciosamente con las manos, tocando cada uno de los botones e insignias del uniforme, deteniéndose en el busto y en las caderas. Al terminar su examen, se volvió hacia Ilona con una sonrisa lenta y maliciosa:

–Está simpático el truco. Muy simpático. Son *stewardesses* como yo soy Ataturk. Pero son bonitas y jóvenes, de carnes firmes como nunca se ven en estos lugares. Y usted, señora, es de Trieste, ¿verdad? ¿O de Corfú? No, de Trieste –comentó mientras le acariciaba a Ilona las manos con una delicadeza que no había usado con las pupilas.

–Sí, soy de Trieste –le contestó ella–, ¿cómo lo notó?

–Por el acento, madame, por el acento y la piel, sólo las mujeres de Trieste conservan una piel tan elástica y suave. También en Corfú, pero allí hablan con un acento horrible. Bueno, pasemos a la alcoba.

Las muchachas se lo llevaron, una de cada lado, mientras les palpaba las nalgas y el vientre repitiendo en voz baja, en un acento pedregoso no exento de cierta gracia:

"Muy buen truco, muy bueno. *Ah, ces triestins, très malins, très malins!*"

La hermana tomaba, mientras tanto, una taza de té tras otra que Ilona le servía en un gran vaso, cosa que a la mujer le agradó mucho. Sólo hablaba un dialecto de Anatolia que no logramos descifrar. Pasada la medianoche apareció el hombre escoltado por las dos mujeres que venían riéndose de alguna broma del turco. Éste fue a tomar el brazo de su hermana y se despidió de Ilona besándole la mano con reverencia muy fin de siglo. Las muchachas se quedaron un rato para tomar café y sandwiches que les trajo Longinos. Eran dos costarricenses recién reclutadas por Ilona. Tenían mucho sentido del humor, se veían desenvueltas y autosuficientes como muchas de sus compatriotas. Nos relataron con detalle las hazañas eróticas de su cliente. La actuación del vigoroso anciano había sido excepcional. Su pausada sabiduría de harén movió la admiración de las pupilas. El cuento de las azafatas no lo había creído. Desde cuando habló por teléfono tenía ya sospechas al respecto. Pero lo tomó a broma e hizo a sus compañeras de cama una minuciosa explicación sobre las características de cada uniforme de las principales líneas aéreas; lo que vino a probar, una vez más, la justeza de las previsiones de Ilona.

Este episodio nos llevó a prescindir, paulatinamente, de usar nombres de empresas aéreas demasiado conocidas. Era un riesgo innecesario y engorroso. La experiencia nos indicaba que no era siquiera preciso mencionar ninguna compañía en particular. La mayoría de las veces los clientes se contentaban con sospechar que las muchachas eran azafatas. La línea para la que trabajaban era, en verdad, un detalle secundario. Con excepción de la rubia de Maracaibo, la morena del moño agitanado y alguna otra que se ajustaban a ciertas nacionalidades y empresas, el resto del personal acabó por usar una fórmula cuya paternidad también me siento orgulloso de reclamar: bastaba con decirle al cliente que la muchacha aún no estaba contratada en firme por ninguna compañía y que viajaba, para entrenamiento, por cuenta de una escuela de *stewardesses* con base en Jacksonville. Ilona, como siempre, había tenido razón; nuestra clientela no estaba tan ávida de verificar la autenticidad de la oferta que se le hacía, siempre y cuando la mujer tuviera ciertos aires de cosmopolitismo, así fueran superficiales, y contara con los atractivos que la imaginación del cliente anticipaba con base en la venta hecha por el *barman* o el capitán de botones del hotel. Como era también de esperar, al poco tiempo la voz fue corriendo entre los agentes viajeros, gerentes regionales en viaje permanente, contadores de firmas americanas y maridos adinerados que viajaban con un pretexto más o menos válido. Entre todos circulaba el teléfono de Villa Rosa, lo que fue haciendo menos necesaria la gestión del personal hotelero. La seguimos conservando por fidelidad y simpatía con quienes nos habían ayudado al comienzo.

Como un acto de simple justicia y gratitud, se hace imperativo hablar un poco más de quien fue adquiriendo en Villa Rosa un papel preponderante que lo hizo, no solamente irreemplazable, sino también un compañero cuya inteligente solidaridad obligaba cada día más nuestra gratitud y aumentaba nuestro asombro. Hablo de Luis Antero, Longinos para nosotros. Era natural de Chiriquí. Tenía ese hablar de la gente serrana, entre cantado y seseante, que aumentaba el aspecto infantil, evidente en toda su persona. Era hijo único. Su padre había muerto cuando Longinos contaba cuatro años de edad. Trabajaba en la Empresa de Energía Eléctrica y murió electrocutado al revisar el transformador que había en un poste a la entrada de la ciudad. Todo el día estuvo allí el cadáver humeante, mecido por el viento como un muñeco desgonzado. Era el primer recuerdo de Longinos. Su niñez la pasó pegado a las faldas de la madre. Ella se había ido a vivir con dos hermanas solteras que cuidaban del niño con mimos que lo marcaron para siempre. Lampiño y gordezuelo, sus ademanes tenían un inocultable toque femenino. No era homosexual, pero lo parecía, por haber adoptado, inconscientemente, muchos de los gestos y maneras de hablar de las mujeres con las que se había criado. Tenía un conocimiento infalible de los más secretos y complejos repliegues de la conducta femenina, lo que le valió muchas y muy envidiadas conquistas durante su estada en el ambiente hotelero. A este éxito contribuyó, además, una discreción a toda prueba, que no transgredía aun en las situaciones más comprometidas. Si le mencionaban el nombre de alguna de las conquistas que se le atribuían, ponía una tan convincente cara de inocencia y de extrañeza ante algo que le parecía tan improbable, que lograba engañar a quien no lo conociera como nosotros, sabedores de sus artes tan sutiles como ocultas. Longinos, al poco tiempo de estar en Villa Rosa, empezó a mostrar un apego y una admiración por Ilona tales que, antes de ella abrir la boca, él ya sabía qué deseaba y cumplía con la voluntad de mi amiga con eficacia intachable. Pasados algunos meses, lo hicimos partícipe de nuestras ganancias, que iban en notorio aumento. Poco a poco Longinos se fue haciendo cargo del reclutamiento de nuevas pupilas y del control de las que habían quedado ya como permanentes. Las trataba con una mezcla de rigor y amistosa complicidad que sirvió para que nos fuéramos desentendiendo del negocio. Ilona se ocupó a conciencia, en un principio, pero carecía de la paciencia y del tacto necesarios para manejar un personal femenino con el cual, en verdad, había tenido poco trato. "En el fondo –decía– son como pajaritos y no acabarán de crecer nunca. No importa de dónde vengan. Les nace del trópico, del machismo latino y de la falta de educación común a todas. Siempre me cuesta trabajo saber a qué clase social pertenecen, porque tienen todas un denominador común: una malacrianza sin remedio y un carácter maleable y caprichoso que las hace imprevisibles. No es que mientan, es que no saben cómo llegar a la verdad. Siempre se quedan en el camino. *Elles me tapent sur les nerfs*. Longinos, en cambio, las maneja a la maravilla y consigue de ellas cosas que, para mí, son inalcanzables."

A medida que Ilona descansaba más en Longinos, teníamos más tiempo para estar juntos. Volvimos a la costumbre de hacer el amor en las tardes e internarnos en la noche haciendo planes e imaginando empresas miríficas; muriéndonos de la risa de nosotros mismos y de la irrealidad de nuestros proyectos. Ilona había adelgazado y sus pechos, amplios pero firmes, se habían hecho más notorios. Como no usaba sostén, adquirió un aire de recobrada juventud que le sentaba espléndidamente. Se había instalado en una serenidad dorada que la llevó a una economía de palabras que hacía aún más terminantes sus sentencias y, si era posible, más acertadas sus definiciones. A Longinos le llamaba también el Visir de Mitilene y, siguiendo por ese camino, la rubia venezolana se convirtió en Bilitis, la morena de Puerto Limón era Doña Refugio, lo que no parecía hacerle mucha gracia, aunque nunca lo confesó. Se limitaba a fruncir el ceño, con sus cejas densas, negras y bellamente delineadas. Villa Rosa pasó a ser también La Maison du Maltais, en recuerdo de una vieja película francesa con Marcel Dalio y Vivianne Romance que coincidía en haber marcado nuestra adolescencia. Yo la recordaba como una de mis primeras experiencias perturbadoras.

Gracias a Longinos, pudimos sortear, sin inconvenientes, el patético y delicado episodio del señor Peñalosa. Esta historia bien vale la pena de ser contada en detalle. Hay en ella esa mezcla de ternura, tristeza y necedad que distingue a ciertos relatos clásicos, en los que solemos reconocernos en la plenitud de nuestra insensata condición de irredentos soñadores, luchando a brazo partido con lo que llamamos la realidad y que nunca acabamos de saber muy bien en qué consiste.

Una mañana, desayunábamos en la pequeña terraza que daba detrás de nuestras habitaciones y que estaba cercada por grandes árboles de caucho y laureles de la India del jardín contiguo, semiabandonado. Nunca habíamos visto a nadie en la tupida espesura que bautizamos como La Selva del Istmo. Esta ausencia de testigos inoportunos nos permitía dejar abiertas las ventanas, ya fuera del cuarto de Ilona o del mío, mientras hacíamos el amor. Tras golpear dos veces discretamente, Longinos dijo que necesitaba hablarnos. A esa hora, debía ser para algo excepcional. Siempre dormía hasta muy tarde ya que nunca se acostaba antes de las cuatro o cinco de la madrugada. Lo hicimos pasar y nos informó de lo que se trataba:

–Acaba de hablar un señor que dice ser huésped del Hotel Continental. Quiere una cita para mañana.

–Bueno –le respondí–, arréglala tú, ¿cuál es el problema?

–El problema es, mi don, que el hombre se oía muy confuso y como poco decidido. Hizo varias preguntas que me indican que o es policía o nunca ha intentado un paso como éste.

–Por Dios, Longinos –interrumpió Ilona–, si fuera de la policía, no habría vacilado un instante y se hubiera oído completamente natural. ¿Acaso no los conoces?

–Tiene razón, doña, pero no sé qué pensar. Sonaba como

un cura, o algo así. Le dije que hablara de nuevo dentro de una hora. ¿Qué le digo?

–Si fuera un cura –respondió Ilona– tampoco hubiera vacilado, ni habría dejado notar ninguna turbación. Concértale una cita con La Caleñita de Lourdes. Creo adivinar de qué se trata.

Longinos salió mucho más tranquilo. Ilona comentó:

–Es un tímido, Gaviero, un tímido. Los conozco como si los hubiera parido. Son una monserga, enredan todo y andan por el mundo tropezando como burros ciegos.

Pensé que tenía razón y que no había por qué alarmarse.

Ilona había bautizado como La Caleñita de Lourdes a una rubia esmirriada con cara inocente y ojos azules desvaídos, muy modosita, que bajaba siempre la vista cuando se le hablaba. Al pronunciar las eses las hacía silbar como es costumbre en las monjas. Nos dijo que era de Cali, en Colombia. Creo que lo decía para aprovechar el prestigio de que goza esa ciudad de tener las mujeres más bellas del litoral pacífico y zonas aledañas. Habíamos llegado a la conclusión de que debía ser de la meseta andina, pero no lo confesaba, pensando, con razón, que no agregaría mucho a su monástica figura. Por el comentario de algunos clientes, supimos que la mujer era en la cama de una sabiduría babilónica. Siempre tornaban a pedir cita con ella. Ilona la había bautizado en forma un tanto profana pero, como siempre, bastante acertada. El hombre llegó puntual al día siguiente. Eran las cuatro de la tarde, hora más bien infrecuente para citas en Villa Rosa. Longinos subió a pedirme que bajara:

–Creo que la doña tiene razón. Pero no está por demás que le eche un vistazo. Gente así no viene nunca.

En efecto, nuestro huésped resultó ser representante de un mundo en donde Villa Rosa pertenece a la categoría de lo impensable. Pequeño, delgado, de facciones regulares, con un bigotito recto, evidentemente teñido, que no iba con el pelo entrecano, que en un tiempo debió ser rubio. El señor Peñalosa, como se presentó de inmediato con un candor desarmante, usaba lentes de aro dorado y tenía esos ademanes un tanto automáticos, pero a la vez lentos, característicos de quienes viven entre números y libros de contabilidad. Traía un maletín de color marrón, con iniciales en oro. Sin duda obsequio de su compañía con motivo de algún aniversario reciente. "Sus primeros 25 años con nosotros, mi querido Peñalosa", la frase de cajón de un gerente que, durante ese mismo lapso, debió mantener al pobre en un perpetuo infierno de incertidumbre y humillaciones. Invité a Peñalosa para que tomara asiento. Comenzamos uno de esos diálogos superficiales sobre el clima de Panamá y lo caro que estaba todo, que al menos sirven para distender los nervios. Nuestro hombre estaba en verdad aterrorizado. No sabía dónde colocar su maletín, ni las manos, ni los pies. Por fin, ya más sereno, resolvió franquearse conmigo:

–Mire usted, señor, es la primera vez en mi vida que se me ocurre una, cómo decirle, una travesura de éstas. Soy auditor jefe en una empresa contable que presta servicios a las empresas aéreas. Anoche llegué a Panamá y el botones que subió con mi equipaje me contó de este lugar, a donde parece que vienen azafatas para pasar un rato con personas respetables y discretas. Me dio el teléfono y resolví llamar. Permítame que le confiese que he tenido siempre una debilidad enorme por las jóvenes que desempeñan ese trabajo. Viajo mucho en avión por el interior de mi país, pero es la primera vez que salgo fuera de él. Vine para realizar una auditoría en una agencia que abrió la línea en Panamá hace ya un año. Soy casado y tengo dos hijas, una de diez y otra de doce años –sacó de su cartera una fotografía en colores de sus dos hijas, en sendas bicicletas, frente a su casa. Al fondo aparecía una señora de facciones un tanto borrosas que sonreía con la buena voluntad de los resignados.

–Muy simpáticas las niñas. Gracias –le dije devolviéndole la fotografía. Estuve a punto de agregar que no era el sitio para exhibir a la familia. Pero caí en la cuenta de que cualquier observación en ese sentido lo hubiera dejado hecho polvo. Un silencio que se alargaba más de lo normal fue interrumpido por ciertos ruidos en la salita contigua. La Caleña estaba entrando para esperar a Peñalosa. Contra todos los principios de nuestro negocio, sentí que debía explicar al huésped –quien de nuevo era presa de un pánico incontrolable, de seguro a causa de la evidente cercanía del que fuera su sueño de muchos años de reprimidas y ardientes fantasías eróticas– quién era la joven que lo esperaba:

–Es una muchacha seria y muy discreta que viene muy poco por aquí. Trabaja en Panagra como instructora de *stewardesses* y está de paso por Panamá. Mañana debe partir a Miami para reanudar su trabajo. Puede tener plena confianza en su discreción, señor Peñalosa. Esté tranquilo a ese respecto. Siéntase en su casa. Voy a enviarles un par de whiskies.

–Muchas gracias, señor –contestó un poco más tranquilo otra vez–, pero es que yo nunca tomo. No se si deba. Es usted muy amable.

–Sí creo que deba –repuse, con tono que quería ser autoritario–. No hay como un escocés a tiempo para romper el hielo.

El pobre Peñalosa se sintió en la obligación de reír, creyendo que yo había hecho un juego de palabras. No había sido mi intención, como es obvio. El auditor entró a la salita. Longinos le presentó a la muchacha y yo subí para informarle a Ilona sobre mi entrevista.

Algo me comentó ella respecto a la imprevisible reacción de los tímidos en circunstancias parecidas, pero no le hice mucho caso. Pasada la medianoche, se presentó de nuevo Longinos:

–El señor Peñalosa dice que quisiera pasar la noche con la Caleña. ¿Usted qué opina, don?

–Consulta con la señora –le dije–. No creo que haya inconveniente, pero es mejor saber ella qué opina.

Ilona entraba en mi cuarto en ese momento:

–Hay que cobrarle doble por la noche y explicarle que debe desocupar la pieza mañana temprano. No quiero tenerlo aquí todo el día.

–Ya pagó, doña. Le expliqué que lo que había dado primero era por unas horas nada más, y pagó de inmediato. Pero hay algo que me preocupa.

–Ahora todo el mundo resulta que se preocupa por cuenta de este pobre imbécil –comentó Ilona con evidente irritación–. Que haga lo que quiera. Déjenlo en paz y ya está. Olviden a ese zopenco o vamos a acabar aquí todos como él.

–Doña –insistió Longinos sin inmutarse–, el problema no es el tipo. Es el maletín que trae. Está lleno de billetes y de ahí saca para pagar los tragos. Por cierto ya van en la segunda botella de Dewar's. A la Caleña ya le ha regalado más de doscientos dólares.

–Por ahí hubieras comenzado, muchacho –dijo Ilona con la voz serena y opaca que le salía cuando se anunciaba algún peligro–. Gaviero, hay que bajar a ver a ese tipo. Explícale que no queremos problemas. Que nos entregue el maletín con el dinero y lo guardamos en la caja fuerte aquí arriba. Le damos un recibo. Cuando se vaya, arreglamos cuentas con él y todos en paz. Pero no conviene que esté barajando toda esa plata allá abajo. Ahora vienen otros clientes y hay que evitar complicaciones. Te lo dije, estos tímidos, respetables, buenos padres y maridos ejemplares, son un peligro endiablado.

El señor Peñalosa convino en todo y nos entregó el maletín a cambio de un recibo que él mismo escribió con impecable letra de tenedor de libros, a pesar de que estaba ya bastante achispado. A la mañana siguiente, nos despertó Longinos con la noticia de que nuestro huésped quería seguir en el cuarto y que, además de la Caleña, pedía que le hiciéramos el favor de llamar a una muchacha que vivía con ésta.

–Me dice aquí Matildita –ahora resulta que la Caleña se llama así– que su compañera es un encanto y de toda confianza –agregó Longinos imitando la voz de Peñalosa.

–Ya sé quién es esa pájara –comentó Ilona desde el baño, cuyas puertas dejábamos siempre abiertas–. Llámala, pero dile que si se emborracha como la otra vez la sacamos inmediatamente. Fue la que hizo el escándalo aquel con el paulista que trajo dos botellas de cachaza y casi acaba con todo.

Pasaron tres días. Peñalosa seguía en el cuarto y su cuenta iba creciendo. Pidió champaña para celebrar la llegada de dos salvadoreñas que se habían agregado a la Caleña y a su amiga. Todo ocurría dentro de la mayor tranquilidad. El hombre no perdía su compostura. Trataba a sus compañeras de cuarto de "señoritas cabineras". El rostro le brillaba con una expresión de beata complacencia, de dicha inesperada e inagotable que acabó por conmovernos. El final, bien previsible, no se hizo esperar. Una tarde llegaron a Villa Rosa tres individuos con el inconfundible tipo de ejecutivos con gran futuro en su empresa. Los pasé a la sala y me dispuse a escucharlos. Venían por Peñalosa. Pertenecían a la línea aérea cuya auditoría le habían encomendado. El dinero que llevaba en el maletín era para depositar en un banco de Panamá que no tenía sucursales en otros países. Estaba destinado a varios pagos urgentes. Tres días antes habían llamado al hotel y no consiguieron hablar con él. Al día siguiente se enteraron de que no había vuelto a su cuarto. Después de algunas pesquisas discretas, esa mañana, un botones les informó sobre el teléfono que había facilitado a Peñalosa. Gracias al número les fue fácil dar con la dirección. Uno de ellos había, en efecto, concertado con Longinos una cita que luego canceló. Peñalosa, me dijeron, era un empleado de absoluta confianza. Tenía 30 años con ellos. No había trabajado antes en otra parte. Comenzó como contador primero. Su conducta era irreprochable y jamás se le había conocido el menor desliz. Él mismo se preciaba de jamás haberle sido infiel a su esposa y de haber llegado virgen al matrimonio. Les expliqué, a mi vez, cuál había sido nuestra actitud con él y los tranquilicé respecto al maletín. Les mostré copia del recibo que habíamos dado a Peñalosa y les dije que el dinero estaba a su disposición. Arreglaron la cuenta pendiente, que llegaba a más de dos mil dólares. Me indicaron que deseaban conversar con Peñalosa y llevarlo con ellos.

–Si ustedes me permiten –les expliqué– yo les sugiero que me dejen hablar primero con él y explicarle la situación. El hombre lleva tres días bebiendo y puede perder fácilmente el control, aunque hasta ahora se ha portado en forma muy correcta.

Estuvieron de acuerdo y quedaron en la sala esperando mis noticias.

Cuando entré al cuarto, después de tocar y anunciarme, la escena era entre conmovedora y grotesca. Peñalosa en calzoncillos, rodeado de sus amigas, algunas desnudas y otras en ropa interior, se dejaba acariciar con una complacencia de pachá. Ordené a las mujeres que se vistieran y pasaran a la habitación contigua. Tenía que hablar a solas con el señor. Obedecieron de inmediato y Peñalosa se quedó mirándome con una cara en donde el desconsuelo iba dando paso a un pánico arrasador.

–Qué pasa, señor, qué pasa. Las señoritas no han hecho nada, se lo aseguro.

Le expliqué que no se trataba de eso. Tres señores de la compañía lo esperaban afuera. Querían que los acompañara. Al borde de las lágrimas, el hombre balbuceó vagas disculpas y explicaciones. Deseaba seguir allí indefinidamente. Su vida había sido una mentira interminable, una mezquina cobardía:

–A mí nadie me contó que esto existía, señor. Nunca lo supe. ¿Se da usted cuenta? –y empezó a llorar sin poder controlarse. Las lágrimas le escurrían por entre una barba entrecana que, en tres días, lo había envejecido diez años–. No quiero irme, señor. No deje que me lleven. Yo me quiero quedar aquí. Ustedes han sido tan amables.

Lo fui vistiendo mientras trataba de convencerlo de que era imposible acceder a sus deseos.

–Ya volverá otro día –le dije tratando de consolarlo.

–No señor, yo no regresaré jamás. No sé si conserve mi puesto. Pero está bien. Esto se acabó, ya lo sé. Muchas gracias por todo.

Salió arrastrando los pies. No quise acompañarlo hasta la sala. Longinos lo hizo con esa cortesía impersonal aprendida en su paso por los hoteles y que sabía usar en ciertas circunstancias.

El episodio del señor Peñalosa vino a colmar mi tolerancia de una vida que me causaba ya creciente fastidio. También Ilona había llegado a un punto crítico de su paciencia en el manejo del negocio. El tráfico continuo de mujeres cuya vida, bastante elemental, refluía y chocaba con la nuestra, adhiriéndole una especie de corteza insípida hecha de minúsculas historias, de calculadas mezquindades, de celos profesionales y del narcisismo que cada una de ellas alimentaba con las supuestas preferencias de los clientes, se convirtió en una rutina asfixiante. Ilona, con todo, por una natural y solidaria simpatía de mujer, por una tolerancia que yo no tenía ni he tenido jamás hacia esa atmósfera de serrallo y de pajarera, tenía un margen más generoso para soportar lo que, en mi caso, se estaba tornando inaguantable. Ella lo sabía y, con cariñosa comprensión, trataba de hacerme más llevadera esa existencia que, de todos modos, era evidente que tocaba a su fin.

Durante un desayuno servido en la terraza, que se prolongó hasta pasado el mediodía, resolvimos examinar de frente la situación y poner un término a la misma. Convinimos en esperar a las primeras lluvias para despedirnos de

Villa Rosa. Hecho por Ilona el balance de nuestras ganancias –ella se había encargado siempre de esta tarea, superior a mis talentos e inclinaciones–, convinimos en dividir el total en tres partes iguales, incluyendo a Bashur en la empresa. Acordamos enviar a nuestro amigo su parte inmediatamente, con el fin de que pudiera salir de sus problemas. Nosotros pondríamos nuestras dos partes en una cuenta de ahorro bancario a pocos meses de plazo, en forma mancomunada. Lo que se reuniera desde ese momento hasta el de nuestra partida, pagaría nuestro viaje y nos permitiría dejar a Longinos en situación de emprender algún pequeño negocio que le proporcionara independencia. Las primeras lluvias llegarían en poco más de dos meses. El tomar estas determinaciones y fijar un plazo a nuestra permanencia en Panamá y a la vida en Villa Rosa, nos produjo un alivio creciente y reparador.

–Sería curioso averiguar –comentó Ilona– por qué nos afecta algo que en ningún momento hemos vivido como si atentara contra nuestros muy particulares principios éticos. El fastidio viene de otra parte, de otra zona de nuestro ser.

–Yo creo –comenté– que se trata más bien de estética que de ética. Que estas mujeres se prostituyan con nuestra anuencia y apoyo, es cosa que nos tiene por completo sin cuidado. Lo que nos es difícil tolerar es la calidad de vida que se desprende de esa actividad, muy lucrativa, sin duda, pero de una monotonía irremediable. En nuestro mundo católico-occidental se suelen oponer como dos polos antitéticos la prostitución y el matrimonio. En la práctica, visto uno de ellos tan cerca como es nuestro caso ahora, la antítesis se disuelve y transforma en una especie de paralelismo aberrante. Pero no creo que haya que ponerle tanta filosofía al asunto. Al comprobar que la prostitución es tan convencional como el matrimonio, sólo logramos confirmar que el camino de una constante itinerancia escogido por nosotros y la voluntad de no rechazar jamás lo que la vida, o el destino, o el azar, como quieras llamarlo, nos ofrecen al paso, resulta, al menos, eficaz para impedirnos caer en el fastidio de una aceptación resignada.

Ilona aplaudió regocijada:

–¡Bravo, Gaviero! Cuando te decides a pensar consigues poner cada cosa en su sitio. Lo malo es que al poco tiempo otra vez anda todo patas arriba. Pero eso no importa si se sabe cómo enderezarlo. Con la lluvia nos iremos de aquí. Tú ya te encargarás de encerrarte en alguna mina en medio de la cordillera o en el cañón del primer río que se te atraviese y allí te dedicarás a mirarte el ombligo y dividirte en tres como un bonzo.

–Vete al diablo –le dije– y dame más té. Cuando se te ocurra instalar una *boutique* en Terranova iré a rescatarte. Tampoco eres manca tú para inventar trabajos de orate.

Vino a sentarse en mis piernas y, revolviéndome el cabello, me dijo al oído, imitando el acento provenzal:

Ne t'en fais pas Maqroll, on sortira d'ici passablement riches et ça compte quand même.

Pocos días después de este diálogo en la terraza, entró en

Villa Rosa el aciago mensajero que envían los dioses para recordarnos que no está en nuestras manos el modificar ni la más leve parcela de nuestro destino. Llegó en forma de mujer con el nombre eslavo y evidentemente ficticio de Larissa. Los dados estaban rodando desde mucho antes de nuestras resoluciones en la terraza. Muy pronto lo supimos.

Larissa

Larissa llegó una mañana, cerca del mediodía. La enviaban Alex y la rubia de Maracaibo. Ya ésta le había adelantado algo a Ilona sobre una mujer nacida en el Chaco, de origen incierto, pero que había recorrido mucho mundo, hablaba varios idiomas, llevaba una existencia muy reservada y tenía un aspecto imponente. Longinos la llevó a la terraza en donde tomábamos el sol en traje de baño. Lo primero que me llamó la atención en ella fueron ciertos rasgos semejantes a los de Ilona. La misma nariz recta, los mismos labios salientes y bien delineados, la misma estatura e idénticas piernas largas y bien moldeadas, que daban la impresión de una fuerza elástica, de una imbatible juventud. Sin embargo, al mirarla mejor me di cuenta de que la semejanza era puramente superficial y se desvanecía ante un examen más detenido. El cabello, de un negro intenso, lo usaba alborotado y rebelde y le llegaba casi hasta los hombros. Era como si vinieran de la misma región pero nada tuvieran en común fuera de su efímera semejanza. Tenía la voz ronca y la palabra fácil. Más que inteligente, daba la impresión de tener esa facultad, muy rara, de orientarse en lo esencial, en lo duradero y cierto, y prescindir de todo lo demás. De lo erróneo de tal impresión nos dimos cuenta muy pronto. Miraba a los ojos de su interlocutor, pero no era a él a quien miraba. Es decir, más que mirar parecía estar buscando, con secreta y paciente astucia, ese otro ser que nos acompaña siempre y que únicamente sale a la superficie cuando estamos solos, para entregar ciertos mensajes, disolver ciertas frágiles certezas y dejarnos en el desamparo de inconfesables perplejidades. Eso buscaba Larissa y allí buceaba pacientemente intentando rescatar lo que creíamos y esperábamos fuera irrescatable.

En tanto que nos daba algunas explicaciones de rutina sobre su interés de trabajar en Villa Rosa, su experiencia en ese campo en Singapur, en Estocolmo y en Buenos Aires, su facilidad para los idiomas y otras precisiones intrascendentes, advertí que Larissa acaparaba la atención de Ilona, cosa nada usual. La invitamos a tomar algo y pidió un café muy fuerte. Se sentó en una silla de lona, a la sombra del inmenso cámbulo que crecía en el jardín contiguo y cuya copa daba a una parte de nuestra terraza. Sus flores iban cayendo alrededor de la mujer. Al rato, la rodeaba un aura de intenso color naranja. Tuve la impresión de que este efecto era provocado como parte de una secreta ceremonia cuyo significado se me escapaba. Su voz ronca partía de la sombra con un acento de sensualidad que me hizo pensar en una pitonisa interrogando el incierto futuro de transeúntes indefensos. Me tomó de sorpresa al dirigirse a mí:

–Voy con frecuencia a un bar que usted visitaba mucho durante el invierno pasado. Nunca coincidimos. Es decir, sí coincidimos una vez pero no me vio. Alex me habló de usted. Me dijo que paraba en la Pensión Astor. Yo vivo muy cerca de allí y conozco al dueño. No sé cómo logró librarse de él. Cuando se cae en la telaraña que teje para tenerlo a uno a merced de sus tráficos siniestros, es muy difícil escaparse.

–¿Usted lo ha conseguido? –le pregunté, tratando a mi vez de sorprenderla.

–Nunca he necesitado de él y no me pondría a su alcance.

La lección era un tanto dura de tragar. Ilona me miró con alarma fugaz pero evidente. Pensé que era mejor llegar hasta el fondo. Ya iba sabiendo con quién tenía que habérmelas:

–En cierto momento me vi obligado a trabajar para él. Pero gracias a nuestro común amigo Alex, conseguí escapar a tiempo y me fui a vivir a otra parte.

–Sí –dijo, mientras seguían cayendo a su lado las flores de cámbulo–, al Hotel Miramar. Buena persona la ecuatoriana. Estuve allí un par de semanas, mientras hacían unos arreglos en el lugar en donde vivo.

Era evidente que debía callarme. Sin que se hubiera planteado una rivalidad con la mujer, ni siquiera un roce notorio, por una de esas subterráneas pero inconfundibles disparidades de carácter, el enfrentamiento con esta hembra del Chaco, tan informada como cautelosa, era desaconsejable e inútil. Si iba a trabajar con nosotros, era mejor mantener un terreno neutral para circular sin problemas. Ilona, que evidentemente seguía con interés nuestro diálogo, lo derivó con toda naturalidad hacia ciertos detalles relacionados con el uniforme que usaría Larissa y con la historia a inventar sobre su trabajo de azafata.

–No quisiera usar ningún uniforme –comentó la chaqueña con tan decidida energía que nos quedamos en espera de una explicación–. Pueden decir que soy inspectora de servicio. Que viajo regularmente para verificar que se cumpla el reglamento de atención a los pasajeros. Insinuaré que trabajo para el Civil Aeronautic Board y que debo viajar de incógnito por obvias razones.

Lo del CAB me pareció un tanto insensato. Le aclaré que quien más riesgo podía correr con eso era ella. Estuvo de acuerdo con facilidad que me desconcertó un poco. Había en la mujer algo que se me escapaba a cada instante. No porque se propusiera ocultarlo sino, más bien, porque pertenecía a un mundo que yo no conocía, y que, sin ser hostil, representaba fuerzas, corrientes, regiones que eran para mí tierra incógnita.

Cuando Larissa se puso de pie para despedirse, Ilona también lo hizo y la acompañó hasta la escalera. Cruzaron la alcoba conversando en voz baja, mientras Ilona le pasaba el brazo por encima del hombro, en un gesto que nunca le había visto con ninguna de las muchachas. Quería parecer protector pero era más bien como si buscara apoyo en alguien más fuerte que ella.

Al comienzo, la presencia de Larissa no fue muy notoria ni trajo cambios mayores en la rutina de Villa Rosa. Venía a menudo por las mañanas y nos acompañaba a tomar el sol en la terraza. Ella, siempre en la sombra, sentada en la silla que escogió el primer día, rodeada de las flores de cámbulo que caían constantemente a su alrededor; nosotros, leyendo o continuando un diálogo en el que, por lo regular, pasábamos revista a ciudades y lugares conocidos. Los juicios de Larissa eran siempre un tanto vagos, como envueltos en una niebla que no acababa de dar a los recuerdos un perfil exacto, un volumen definido. Ésta era, en cambio, una de las cualidades más notorias en los relatos y remembranzas de Ilona. Con un trazo evocaba una ciudad, un paisaje, una isla, un país. En el caso de Larissa su vaguedad de noticias se extendía a la existencia que llevaba en Panamá. No conseguíamos saber en dónde vivía. Lo único cierto era que no tenía teléfono. Siempre llamaba desde el bar que los dos habíamos frecuentado. Allí, también, le dejábamos los recados de las citas que se concertaban para ella. Otra singularidad suya era la selección de sus clientes con meticuloso ajuste a ciertas condiciones de edad, educación y origen. Después de sus primeras visitas, nos lo explicó con su voz de barítono en celo y su aire ausente:

–Por favor, les voy a pedir que no me arreglen citas con hombres jóvenes. Prefiero estar con hombres maduros que hayan recibido, al menos, una formación en otras tierras y no tengan esas maneras exuberantes y atropelladas de la gente de estos países. Tampoco, por ningún motivo, quisiera ver a norteamericanos ni a orientales. Ya sé que no es muy fácil enterarse de esos detalles a través de una llamada por teléfono, pero si ustedes me ayudan un poco y Longinos colabora, del resto me encargo con el tiempo. Ya iré formando mi clientela exclusiva. Hay cierto tipo de hombres con los que me entiendo muy bien y éstos siempre vuelven –Ilona iba a comentar algo, pero Larissa no la dejó hablar–. Sí, ya sé –dijo con una sonrisa que quería ser amable y sólo consiguió parecer condescendiente–, tal vez estoy pidiendo mucho y no debe estar entre las reglas de la casa esta clase de imposiciones. Lo entiendo. Pero ya verán que, en muy poco tiempo, no será problema para ustedes y, en cambio, para mí será la única manera de trabajar en esto con buenos resultados para todos.

Ilona guardó silencio. Yo seguí mirando las nubes que pasaban por el cielo empujadas por una brisa anunciadora de las lluvias.

Por Longinos nos enteramos en dónde vivía nuestra nueva adquisición. Un día llamaron por teléfono del bar para decirme que había cartas para mí. Algunos amigos seguían enviándome allí su correspondencia. Longinos fue a recogerla y, al regresar, después de largo rato, subió a dármela. Traía un gesto en donde alternaban el humor y la extrañeza.

–Cuando llegué a recoger la carta –dijo– Alex me pidió que llevara a la señora Larissa un paquete que habían dejado allí para ella. Parecía ropa de mujer. Me explicó que era para entregarlo donde ella vivía y no aquí. Le indiqué que no conocía la dirección y me miró incrédulo. Dudó un momento y, al fin, me dijo que bajara hasta la avenida Balboa y que a unas pocas cuadras hacia el norte iba a encontrar, al borde del mar, en una pequeña playa de piedras y vigas de cemento tiradas en el suelo como para detener la marea, un barco pesquero que estaba allí a medio desmantelar recostado contra el muro de la calzada. Me explicó que desde la acera llamara a la señora. Ella saldría a recoger el paquete. Así lo hice. Cuando la llamé asomó la cabeza por el ojo de buey del único camarote que se veía más o menos habitable y me preguntó qué traía y quién me había dicho dónde vivía. Le expliqué cómo me había enterado y salió a recibir el paquete. Estaba en ropa interior y con un mal genio de todos los diablos. "No andes por ahí contando en dónde vivo. Eso a nadie le importa. No vuelvas por aquí nunca más. A tus patrones diles lo que quieras. Ya hablaré con ellos. ¡Lárgate, muchachito de porra!" Hablaba en voz baja, como para que no nos oyeran. Nadie pasaba en ese momento por allí. Pero qué hembra tan furiosa. A ver con qué cuento les viene a ustedes.

–No te preocupes –lo tranquilizó Ilona–, no es culpa tuya. Si ella no advirtió en el bar que no dijeran dónde vive, es cosa suya. No vuelvas más y se acabó.

Longinos nos dejó solos. Estuvimos un buen rato en silencio. Recordé perfectamente el barco en ruinas, escorado sobre la playita de cascajo y trozos de concreto. Desde mi ventana de la Pensión Savoy lo veía todos los días. Me vino a la memoria algo que había olvidado y que, entonces, me llamó la atención: por las noches, de vez en cuando, se veía una luz mortecina en uno de los camarotes contiguos al puente de mando que se caía a pedazos. Recordé también el nombre de la embarcación. En un letrero de bronce ennegrecido que se mantenía atornillado a una baranda de estribor, se podía leer aún la palabra *Lepanto*. Me intrigó la discrepancia entre un nombre tan sonoro y cargado de leyenda y los despojos de un humilde navío de cabotaje que yacía oxidado y casi informe en esa estrecha playa convertida en basurero desde tiempos inmemoriales. Longinos lo había confundido con los barcos pesqueros que suelen anclar más al fondo de la bahía. Por ciertas características de diseño, por la forma de los ojos de buey y de dos conductos de ventilación, que aún se sostenían por un milagro de equilibrio, era fácil establecer el origen del barco. Debió salir de los astilleros de Toulon, de Génova o de Cádiz. Cómo había venido a parar aquí, derrumbado contra un malecón de Panamá, fue algo que, si me lo pregunté entonces, no volvió luego a preocuparme. Ahora, la imagen de los tristes despojos del *Lepanto* surgía del inmediato pasado, rescatada del olvido bienhechor. Torturante evidencia que pedía ser descifrada con el pavor de los misterios délficos.

Pocos días después de la visita que le hizo Longinos, Larissa pidió hablar con nosotros. Había despachado a uno de sus clientes habituales. Subió a nuestras habitaciones con aspecto cansado y una contenida irritación que no hallaba dónde desfogar para justificarla. Ilona la fue tranquilizando poco a poco, hasta dejarla en un manso agotamiento propicio al diálogo. Era notable la influencia que mi amiga ejercía sobre la inescrutable mujer del Chaco. Con algunas palabras dichas al azar, le transmitía un sosiego, un equilibrio apacible que podía durar días enteros. Ya serena y dispuesta a contarnos el enigma de su habitación, Larissa comenzó a hablar. Su historia tenía ciertos rincones, laberintos y atajos que lindaban con un mundo visionario que se prestaba a conjeturas teñidas de un esoterismo del que he solido preservarme siempre por un ciego instinto de evitar el caos, que es uno de los rostros de la muerte para mí menos tolerables y más letales.

–Subí al *Lepanto* en Palermo –comenzó Larissa–. Había vivido allí varios años como señorita de compañía de una dama de la nobleza siciliana, la princesa De la Vega y Hoyos, último vástago de una familia de grandes de España que se quedó en Sicilia cuando la isla dejó de pertenecer a la corona española. La anciana cuidaba una mediocre fortuna con la parsimonia de quien sabe que, de un momento a otro, puede caer en la miseria. Era dueña de una cultura deslumbrante. Leía en varios idiomas toda clase de libros pero, de preferencia, clásicos y grandes textos de historia. Estaba un poco loca. Cuando me contrató, había empezado a interesarse por el espiritismo y toda clase de experimentos esotéricos. Mantenía conmigo una amabilidad distante, debida, quizás, a suspicacia por mi origen latinoamericano y a su poca costumbre en el trato diario con otras personas. Vivía sola en una inmensa quinta, en las afueras de la ciudad. Una vez a la semana iba un jardinero a cuidar del parque que rodeaba la residencia cuyo aspecto de desolación y ruina despertaba una tristeza muy grande. La vieja cocinera, sorda como una tapia, se encargaba de preparar dos comidas diarias en donde la imaginación estaba tan ausente como el sentido culinario más elemental. La princesa se había roto una pierna al bajar la escalera principal y por esa razón puso un anuncio en el periódico solicitando una dama de compañía. Fui a verla y me contrató. Cuando ya pudo caminar, me pidió que siguiera a su lado: "Me he acostumbrado a usted. Si se va me hará falta su compañía", me dijo con esa mezcla muy suya de distraída insolencia aristocrática y brusquedad de solitario que no sabe cómo tratar a los demás. Resolví quedarme aunque me pagaba con tal irregularidad que nunca supe, al fin, cuál era exactamente mi sueldo ni cuándo se cumplía el plazo en que debía dármelo. Me aficioné a la lectura a fuerza de hacerla en voz alta para la princesa. Tenía que ser de noche, en su cuarto. Muchas veces me sorprendió la madrugada todavía leyéndole. Dormíamos toda la mañana. Después de la comida dábamos una vuelta por el parque. Me contaba viejas leyendas de su familia. Complicadas hazañas amatorias de los varones de la casa, cuya fama en Sicilia, en ese aspecto, aún se mantenía con agregados populares de una crudeza un tanto rústica. La princesa De la Vega y Hoyos amaneció un día muerta. Había sufrido un paro cardíaco fulminante. Al levantar el acta de defunción se encontró que había cumplido noventa y cuatro años. Nunca imaginé que fuera tan vieja. Le había calculado poco más de setenta. El notario que se encargó de liquidar los asuntos de la dama me entregó una suma de dinero que la princesa me había dejado en su testamento. Era, de todos modos, muy inferior a lo que calculé que me debía como salario, si bien es cierto que yo me había enredado a tal punto con fechas y pagos parciales que tampoco mis cuentas eran muy de fiar. El notario me dijo que mientras decidía qué hacer podría quedarme en la casa. No quise aceptar. Ya sin la compañía de la princesa, el destartalado desamparo de la quinta me agobiaba terriblemente. Bajé al puerto en busca de algún barco que partiera no importaba a dónde. Allí estaba el *Lepanto*. Hablé con el capitán, un gaditano ladino y mal hablado con el que, después de una laboriosa discusión, me puse de acuerdo en el precio del pasaje. Me acomodó en un rincón de la bodega donde habían instalado una litera provisional. Se disculpó diciéndome que el único camarote disponible lo estaban arreglando para servir de oficina a no sé qué funcionario de una agencia naviera copropietaria de la nave. El *Lepanto* debía haber tenido días mejores. Cuando subí a él ya amenazaba irse a pique al menor temporal que lo sorprendiera en alta mar. Parece que esa fragilidad era engañosa, pues lo vi afrontar las tormentas del golfo de León sin que sufriera ningún percance. El gaditano me dijo que iba primero a Génova y de allí a Mallorca, donde yo desembarcaría. Estuve de acuerdo y fui a traer las pocas pertenencias que tenía ya empacadas en la quinta. Cuando me instalé en el camastro de la bodega del *Lepanto*, ni por un instante me pasó por la mente que habría de vivir allí hasta hoy. Las cosas que me han sucedido en ese lugar son de tal condición y vienen de tan recónditos y oscuros rincones de lo innombrable que ya las iré contando poco a poco. Es muy tarde y hay para varias sesiones. Por ahora es suficiente con que sepan que, en efecto, vivo en lo que son los restos del *Lepanto*. Cuando me necesiten les pido que me dejen recado en el bar. Paso por allí todos los días. Deseo que nadie vaya a buscarme al barco ni intente ponerse en contacto conmigo allí. No quiero llamar la atención y trato de pasar lo más desapercibida posible. Muy pocos son los que saben que ese despojo del mar está habitado. La luz que se percibe de vez en cuando suele atribuirse a alguna pareja refugiada allí para hacer el amor. Si supieran lo que en verdad ocurre, el asombro les cambiaría la vida.

Al salir Larissa, nos quedamos en silencio, asimilando, escrutando, no sólo la parte de su historia que nos acababa de contar, sino lo que adivinábamos detrás de sus últimas palabras. Éstas nos dejaron una impresión de vago malestar que, con la noche y entre la sombra vegetal del abandonado parque vecino, fue creciendo en forma que llegó a ser casi insoportable.

–Vamos a tomar un trago a alguna parte –propuso Ilona–. Aquí no se puede estar.

Recorrimos varios de los sitios que habíamos frecuentado en nuestra época del Hotel Sans Souci. Los sirvientes y los encargados del bar nos recibieron con cordialidad un tanto sorprendida. Regresamos a la casa ebrios de alcohol y de sueño, sin haber conseguido alejar la sombría inquietud que nos dejaron las palabras de Larissa. Durante los días que siguieron continuamos con los trámites para la liquidación del negocio. Bashur nos confirmó el recibo del dinero que le habíamos enviado. En sus palabras, el alivio se mezclaba con la gratitud. Esa gratitud que, en los hombres de su raza, tiene la intensidad y la hondura de un acto religioso. Había salido a flote de todas sus dificultades y estaba acondicionando un buque tanque para transporte de materias químicas y colorantes. No era improbable, anunciaba con notorio júbilo, que nos encontráramos en Panamá. Enviaría noticias al respecto cuando estuviera listo el barco en los astilleros de Amberes. Ya tenía escogido el nombre: *Fairy of Trieste*.

–Estos levantinos no tienen remedio –comentó Ilona, ocultando la ternura que le causaba el gesto de Abdul–. Cuando salen de las mil y una noches se dedican a poner bombas y a luchar en las montañas. No te imagino, Maqroll, bautizando así un barco tuyo.

Le contesté que, primero, lo de poseer un barco era algo altamente improbable y, luego, que el papel de darle nombre a las cosas y a las gentes era tarea que corría por cuenta suya y no mía. Nos quedaba el problema de Longinos. Se había apegado tanto a nosotros, en especial a Ilona, que sabíamos lo dolorosa que sería para él la confirmación de nuestra partida.

–Yo me encargo de hablarle –prometió Ilona–. De lo contrario tú acabarás llevándotelo y de eso no se trata.

Como siempre, tenía razón.

Una noche, pocas semanas después de la conversación con Larissa, ésta llegó a cumplir una cita con uno de sus clientes. Era el gerente de un consorcio de bancos escandinavos con sucursal en Panamá. Un vikingo gigantesco y manso que saludaba muy ceremoniosamente y parecía a punto de quedarse dormido en todas partes. Al salir, me mandó llamar con Longinos. Deseaba conversar un instante conmigo algo personal. Bajé a la sala. Sin tomar asiento, con el sombrero de paja en la mano, el noruego se limitó a comentarme:

–Creo que nuestra amiga no se encuentra bien. No es asunto de médico. Es otra cosa. Por qué no hablan un poco con ella. Estoy seguro de que podrían ayudarle.

Eso era todo. Se despidió como hipnotizado. La noche del trópico se lo tragó de inmediato entre la algarabía de los grillos y el canto sincopado e intrascendente de los grandes sapos escondidos en la hierba.

Esa misma noche Larissa nos relató la continuación de su historia. Igual que cuando la vi por primera vez, tornó a perturbarme, ahora con la evidencia de su testimonio, esa zona torturada y en tinieblas que sentía acechando detrás de su presencia, de sus palabras, de sus más mínimos gestos. Pero, en esta ocasión, vino a sumarse un nuevo elemento que me inquietó mucho y no supe cómo manejar: me di cuenta de que Ilona estaba, en mayor proporción de lo que yo creía, envuelta en la torva red tendida por Larissa. Que respiraba, con alarmante naturalidad, la atmósfera que, como un halo letal, despedía la presencia de esta mujer llegada a Villa Rosa como un heraldo del Hades. Es por esto que me parece necesario transcribir en detalle su turbadora historia. Cuando comuniqué a Ilona el temor del escandinavo que acababa de estar con Larissa, aquélla la mandó llamar. Estábamos en la terraza, disfrutando una noche de leve brisa que, a tiempo que refrescaba el ambiente, había despejado el cielo hasta acercar el firmamento, dándonos la impresión de que esa vasta cúpula titilante, animada por una actividad sin sosiego, estaba al alcance de nuestras manos. Larissa llegó directamente a derrumbarse en una silla de playa, la primera que encontró a su paso, y permaneció un buen rato en silencio. Su rostro mostraba un agotamiento extremo. Su cuerpo adquirió una quietud desmayada como si se le estuviera escapando el último soplo de vida. Cuando comenzó a hablar nos intrigó la ronca firmeza de su voz que denotaba una secreta e intensa energía, una energía nacida en un lugar más recóndito, intocado e inconcebible que esa presencia física a punto de extinguirse.

"Debo contarles –comenzó diciendo– los hechos desde el principio. El *Lepanto* tuvo que permanecer en Palermo dos días después de la fecha indicada por el gaditano para la partida. Esperaba no sé qué papeles de Palma de Mallorca, sin los cuales no podía zarpar. Como yo no quería volver a la quinta y ya tenía mis cosas en el barco, preferí quedarme allí. La primera noche dormí profundamente, a pesar del olor a sentina que reinaba en el lugar. Durante el día fui al puerto para comprar algunas cosas indispensables para mi aseo personal. Tenía que compartir el baño con el patrón y éste había prescindido hacía mucho tiempo del uso del mismo. No había toallas ni jabón en el sucinto lugar que pretendía cumplir con las funciones de baño. También adquirí algunas provisiones para reforzar la comida de a bordo que no se anunciaba muy apetecible. Regresé al anochecer. El capitán intentó entablar un diálogo con finalidades bien evidentes. Me pareció que era el momento de indicarle, de una vez por todas, que olvidase por completo todo intento en ese sentido, y que era absolutamente inútil que insistiera en el futuro. Lo entendió sin oponer mayores argumentos y hablamos de otra cosa. Le pedí me facilitase una lámpara para alumbrarme durante la noche. Me explicó que al fondo de la bodega había un interruptor para encender una bombilla eléctrica, la cual, seguramente, yo no había advertido porque la ocultaba una viga de acero encima de la litera. Cuando bajé para acostarme, me di cuenta de que tenía que recorrer casi toda la extensión del lugar para encender o apagar la luz. Volví a subir y, sin esperar mi reclamo, el patrón me dio una linterna de pilas. Lo hizo en forma impersonal y poco amable que indicaba la poca gracia que le había producido mi rechazo a sus proposiciones. Pero era mejor así y no hice caso de su mal humor. Me dormí casi de inmediato y olvidé apagar la luz. Ya me había acostumbrado al olor del sitio y el suave balanceo del barco amarrado al muelle me ayudaba a disfrutar de un sueño profundo y reparador. Me despertó, de repente, una presencia que se interponía entre la luz de la bombilla y mi camastro. Aún medio dormida, creí que fuera el gaditano que intentaba volver a sus andadas. La figura se acercó lentamente y vino a sentarse a los pies de la cama. Lo que vi me dejó totalmente despierta y en un asombro indecible. Un oficial de los *Chevaux-légers* de la *Garde* del imperio napoleónico me miraba fijamente. Sus ojos, de un gris acerado, se destacaban bajo el arco de las cejas entrecanas que hacían juego con el gran bigote rubio de puntas cuidadosamente retorcidas y con las dos trenzas que salían del chacó con galones dorados y las insignias de su regimiento. Las manos fuertes, nervudas pero bien cuidadas, descansaban en las rodillas del robusto jinete, imprimiendo un aire de natural familiaridad a su presencia. 'No se espante –me dijo en francés con acento de Reims y un tono de voz impostado en las notas altas, característico de militares acostumbrados a dar órdenes en campo abierto–, sólo deseo conversar un rato con usted. Perdone que la haya despertado, pero paso temporadas muy largas sin hablar con nadie y su inesperada presencia en estos lugares resulta una oportunidad muy grata para mí.' No recuerdo lo que le respondí, pero su presencia transmitía una tan espontánea y afable necesidad de compañía que, al rato, conversábamos ya como si nos hubiésemos conocido hace tiempo. Después de tratar de tranquilizarme por su inesperada aparición, se presentó muy cortésmente. Se llamaba Laurent Drouet-D'Erlon. Era coronel de los *Chevaux-légers* de la *Garde*, primo hermano del general-conde Jean-Baptiste Drouet-D'Erlon, muy cercano al emperador. Viajaba en cumplimiento de una misión que le encargó el conde y sobre la cual no podía dar grandes detalles. Iba a Génova. Allí esperaba recoger ciertas noticias de la isla de Elba en donde, como yo debía saber, estaba cautivo Napoleón por voluntad de las potencias aliadas. Luego seguiría hasta Mallorca. Aquí es importante que les explique algo que no es fácil entender, ya que tampoco lo ha sido para mí. La imposibilidad lógica de estar hablando con un militar del imperio que mencionaba un presente que, en mi caso, era un pasado de casi siglo y medio, a tiempo que se planteaba en mi mente como una aberración inexplicable, sucedía con una fluidez y una lógica que, desde que el hombre comenzó a hablar, se me ofrecieron como irrebatibles. Es decir, nada en mí se opuso ni se alarmó ante un imposible que dejaba de serlo por obra del calor y de la evidente plenitud que comunicaba ese ser de una época pretérita que, por su sola presencia, la convertía para mí en un hoy absoluto. En esta aceptación que, una vez percibida, se tornaba en algo que sucedía dentro de los cauces de una normalidad irrecusable, reside el secreto de todo lo que me ha ocurrido desde cuando abordé el *Lepanto*.

Conversamos durante el resto de la noche. Es decir, él habló y yo lo interrumpía sólo para precisar datos y confirmar mi familiaridad con lugares y hechos que me eran conocidos gracias a las largas jornadas de lectura en la quinta de la princesa. Sería inútil tratar de reconstruir ahora, en detalle, la vida de alguien con quien, como es el caso de Laurent, he convivido tanto tiempo. Nunca vuelve uno a circunstancias que, una vez mencionadas, entran a formar parte de la vida en común y se dan, en adelante, por sabidas. Esa primera noche no se apartó de una formalidad cortés pero cordial que facilitó mucho el diálogo y nos dejó, a los dos, en esa situación de compañeros de viaje que se han entendido bien y cuya compañía se disfruta como una feliz coincidencia que nos aliviará del tedio común a toda travesía por mar. Con los primeros ruidos en la cubierta, anunciadores del amanecer, el coronel se puso de pie y se despidió con un besamanos más amistoso que cortesano. Fue hacia el fondo de la bodega y apagó el interruptor, dejándome en la penumbra de la madrugada. Permanecí muchas horas tendida en el camastro, tratando inútilmente, como es obvio, de ajustar lo que me acababa de suceder con la realidad a la que despertaba. Tuve la certeza de que algo había cambiado en mí para siempre. Temía subir a cubierta y vivir mi último día en Palermo acompañada del recuerdo, vívido y patente, de una experiencia inconcebible. Por fin me resolví a salir. El gaditano se me quedó mirando con recelo y extrañeza. 'Pensé que estaba enferma –me dijo– y que iba a pasar todo el día allá abajo. Vamos a comer, ¿quiere acompañarme? O prefiere bajar a tierra y comer en el puerto.' Le respondí que haría lo segundo porque necesitaba desentumirme un poco y aún no tenía mucho apetito. Se alzó de hombros y me volvió la espalda sin hacer ningún comentario. Si no habíamos quedado en términos amistosos, al menos sabíamos, cada cual, a qué atenernos. El viaje iba a ser así más llevadero. A la madrugada siguiente zarparíamos rumbo a Mallorca. Comí en una taberna del puerto y luego anduve recorriendo los sitios de la ciudad que me habían gustado y me traían algún recuerdo grato. Al caer la tarde, regresé al *Lepanto*. Me quedé en la cubierta hasta la hora de la cena. El trajín del puerto me distraía hasta dejarme alelada y fuera del tiempo. Cenamos solos el patrón y yo. Apenas cruzamos algunas palabras. Bajé de inmediato a la bodega y me acosté en seguida. Hacia la medianoche, cuando iba a salir del lecho para apagar la luz, sentí que alguien lo hacía accionando el interruptor al fondo de la bodega. Unos pasos se acercaron a la litera. En verdad, ya sin mucha sorpresa, esperaba ver al visitante de la noche anterior. En efecto, se sentó a mi lado y, cambiando el tono cortés e impersonal que había usado hasta ahora, se lanzó en una larga y febril declaración amorosa de una intensidad que yo no había conocido antes. Sus manos empezaron a recorrer mi cuerpo con caricias cada vez más íntimas y desordenadas. Terminamos haciendo el amor, él a medio desvestir y yo completamente desnuda. Lo hacía en asaltos sucesivos, rápidos y de una intensidad que me dejaban en una plenitud beatífica pero cada vez con menos fuerzas. Por fin, nos metimos debajo de las cobijas de lana burda que conservaban trozos de cardos y pequeños tallos que nos rasgaban levemente la piel. Me contó muchas cosas de su vida. Había caído dos veces prisionero de los rusos. Una después de la batalla de Austerlitz y, otra, en el paso del Beresina en la retirada de Moscú. En ambas ocasiones, lo confinaron en Crimea. La primera vez permaneció allí dos años disfrutando del clima tibio y la acogedora hospitalidad de los georgianos. La segunda estuvo al lado del duque de Richelieu, quien estaba al servicio del zar Alejandro I como gobernador de la región. Allí, en Odessa y en Tbilissi, las circasianas que le concedían fácilmente sus favores lo iniciaron en ese ritmo particular y delicioso de hacer el amor, que creaba en la mujer una especie de adicción semejante a la del opio o al delirio de los místicos. Cuando empezaron a ronronear las máquinas, anunciando la partida del *Lepanto*, el coronel se despidió con un largo beso caluroso y, vistiéndose apresuradamente, volvió a perderse en la sombra vacilante de la madrugada. Un profundo sueño, que duró hasta muy pasado ya el mediodía, me repuso de la noche agitada y propicia. Cuando desperté, estábamos en alta mar. El barco daba bruscas cabezadas luchando contra el mar agitado por la tramontana. A la noche siguiente se repitió el episodio erótico sin mayores variaciones, a no ser los largos silencios de Laurent, quien parecía destinar toda su atención y sus energías a gozar de mi cuerpo como de una fiesta que le fuera a ser vedada por mucho tiempo. Antes de despedirse, me informó que no estaba seguro de si volvería en varios días, pero que, al acercarnos a la primera escala de nuestro viaje, me prometía que nos veríamos de nuevo. Así fue, en efecto. La noche siguiente la pasé en una espera palpitante y ansiosa que, en la mañana, vino a terminar en un sueño poblado de visiones en donde el deseo inventaba los más absurdos recursos para interrumpir su realización.

"La vida a bordo transcurría dentro de la monótona rutina que impone el viajar en pequeños barcos como el *Lepanto*, en donde el trato con los compañeros de ruta se circunscribe al insulso diálogo en la mesa o al comentario sobre incidentes triviales de la navegación. Además, yo vivía embebida en el recuerdo de las horas pasadas con

Laurent. Mi piel parecía conservar con una fidelidad sobrenatural el calor de su presencia. Así transcurrieron dos noches más y, en la tercera, una nueva sorpresa vino a mi encuentro. Trataba de conciliar el sueño y de evitar la luz de la bombilla tapándome con una punta de la cobija, cuando alguien se interpuso de nuevo entre ésta y mi cama. Pensé que fuera mi amigo. Me descubrí el rostro, ansiosa de recibir su visita, y me encontré con un personaje que, en el primer momento, me fue imposible identificar. Luego caí en cuenta de que había visto gente parecida en los cuadros que la princesa tenía colgados en la biblioteca de su quinta. Era un hombre alto, delgado, de manos ahusadas y pálidas y rostro alargado, también de una palidez entre cortesana y ascética. Los ojos de un negro intenso y largas pestañas, casi femeninas, despedían un fulgor inteligente, contenido y ceremonial. Estaba vestido con una túnica de velarte negro que le llegaba hasta los pies, en la que destacaban dos notas de color de una elegancia intachable: la abotonadura, que iba desde el cuello hasta la cintura, era de un color púrpura intenso con un ribete de plata muy pulida. Tanto el cuello como los bordes inferiores del hábito tenían un vivo doble, también de plata, que encerraba una franja color verde limón. En la cabeza llevaba un gorro alto y rígido de terciopelo también púrpura que ceñía una larga cabellera de un negro azabache con visos azulados, cuidada con esmero no exento de coquetería. Sobre el pecho ostentaba una cadena de oro de la que pendía un león alado del mismo metal, una de cuyas garras delanteras sostenía un libro abierto en donde estaban escritas las palabras *Pax tibi Marce Evangelista Meus*. Con las manos ocultas en las largas mangas de su túnica, me observaba fijamente como tratando de reconocerme. De repente, comenzó a hablar en un italiano pulido e impecable, en el que era evidente la intención de evitar cualquier acento o vocablo que denunciara una región determinada. Tenía voz de bajo profundo, cuya cálida serenidad denunciaba una prolongada educación cortesana. Tras de pedirme excusas por irrumpir de esa manera, se presentó como Giovan Battista Zagni, relator de la Secretaría Judicial del Gran Consejo de la Serenísima República de Venecia. Viajaba a Mallorca para recibir el pago de ciertos derechos que la Banca Mutt debía por el uso de puertos de la república en la costa dálmata. Le invité a sentarse a los pies de mi cama. Su alta figura me imponía. Prefería mirarlo a la altura en la que me encontraba para poder entablar un diálogo más natural y tranquilo. Aceptó con sonrisa que descubrió una dentadura impecable que lo rejuvenecía notablemente. Una vez más se creó esa atmósfera de absoluta familiaridad que había percibido cuando se me apareció el coronel Drouet-D'Erlon. Y también conciliaba de nuevo, sin esfuerzo y sin hacerme la menor violencia, el presente que estaba viviendo con el pasado del que surgía mi inopinado visitante. Con Zagni las cosas fueron con mayor premura. Después de una hora larga, durante la cual me contó algunos incidentes y chismes intrascendentes y otros sabrosamente escandalosos que animaban la vida de la hermética sociedad veneciana, comenzó a pasar sus manos por mis rodillas y, luego, las fue avanzando por entre los muslos con una acompasada lentitud propia de quien ha dedicado buena parte de su tiempo al cortejo de sus coquetas e intrigantes compatriotas. Actuaba con la cautelosa certeza de quien no conoce el rechazo a sus galanterías y eróticos escarceos. Se desabotonó la túnica con lenta naturalidad y, despojándose de las prendas de fina batista de su ropa interior, entró conmigo bajo las cobijas con movimientos que me recordaron ciertas ceremonias religiosas en donde los oficiantes casi no parecen desplazarse, pero cada gesto corresponde a una acción sabiamente calculada. Hicimos el amor en medio del intenso perfume capitoso y floral que despedía el funcionario de la Serenísima, seguramente adquirido en alguna de las pequeñas boticas del Rialto que venden esencias de Oriente. Antes de que aparecieran las primeras luces del alba, Zagni se vistió con los mismos pausados ademanes y con un beso en la frente se despidió anunciando su vista para la noche venidera. Me indicó que sólo al acercarnos a tierra se vería obligado a ausentarse hasta que volviésemos a alta mar.

"Como hubiera debido sospecharlo, el capitán del *Lepanto* se había cuidado bien de aclararme que el viaje iba a tener varias escalas. Dadas las condiciones de la nave, sus máquinas necesitaban frecuentes reparaciones para continuar navegando. Es así como tuvimos que tocar en Salerno, luego demorarnos un par de días en Livorno y, en Génova, esperar durante una semana la llegada de un repuesto para el árbol de la hélice. Al zarpar de Génova nos detuvimos en

Niza y, de allí, con un temporal que sacudía el barco en forma que a cada instante parecía que fuera a irse a pique, nos dirigimos a Mallorca. Mis nocturnos visitantes se ajustaron durante la travesía a la rutina de sus apariciones. Laurent, el día anterior al de nuestro arribo a cada puerto, durante la permanencia en éste y a la noche siguiente a la partida. Zagni, durante todo el tiempo que navegábamos en alta mar. Mi relación con cada uno se hizo en extremo personal y estrecha. El coronel del imperio me contaba sus campañas en Alemania, su estadía en España con Junot, sus dos largas temporadas como prisionero de los rusos en el Cáucaso y su participación en un complot en el que figuraba activamente su primo el general-conde Drouet-D'Erlon, destinado a preparar el regreso del emperador, confinado en la isla de Elba. Llegué a compenetrarme con su manera de hacer el amor, hasta el punto de esperar ansiosamente nuestra llegada a los puertos. La relación con Zagni tenía algo de ceremonial religioso, una como aura bizantina, una dorada magnificencia que me dejaba en un estado de ensoñación, en un lento delirio alimentado por las sabias caricias del secretario del Consejo de los Diez. También, en este caso, esperaba siempre la llegada de la noche como quien se prepara para una fiesta en donde el misterio y el sigilo temperaban toda inoportuna manifestación de contento. Nunca me habló Zagni de su vida personal. Evitaba cuidadosamente la menor alusión a las responsabilidades de su cargo, a su vida diaria y familiar en Venecia y, desde luego, jamás mencionó el nombre de parientes, allegados o simples conocidos en la Serenísima. Sin embargo, estas evidentes y rigurosas precauciones no interferían para nada en su manera calurosa y delicada de mantener su relación conmigo. Me hacía sentir que éramos cómplices en una empresa indeterminada y compleja, cuyos detalles y engranajes yo desconocía y tampoco me interesaban por estar toda mi atención y mis sentidos comprometidos en la sabia teoría de sus caricias. Demorarme en recordar los incidentes del viaje y su compleja riqueza de experiencia sensual, de ricas incursiones en un pasado vivido como presente inobjetable, tomaría muchas horas, varios días. Además, no me es fácil hablar de esto por un rato largo. Al evocarlo ante terceros, por mucha simpatía que sienta hacia ellos, su presencia, su atención y su curiosidad me lo convierten en una pesadilla irreal e insoportable. Prefiero, para terminar, contarles rápidamente cómo el *Lepanto* acabó encallando en esta costa y por qué sigo viviendo en él. Cuando llegamos a Mallorca, el gaditano se dedicó a hacer una serie de reparaciones a fondo en el *Lepanto*. Me explicó que quería llevarlo al Caribe para servicio de cabotaje en las costas de Centroamérica y en las islas. Me dijo que podía vivir en él mientras encontraba algún nuevo rumbo para mi vida, ya fuese en Génova o en otro lugar de Europa. Me insinuó que si quería, podía viajar con él a las Antillas. No me cobraba el pasaje y tal vez podría encontrar allá alguna manera de ganarme la existencia. Esta oferta la hizo con suma prudencia y dejando muy en claro que no había ninguna intención oculta en ella. Se trataba, me explicó, de tener compañía durante el viaje y de prolongar una relación que le resultaba muy grata. Admiraba mi independencia y respetaba mi muy particular y poco usual manera de andar por el mundo. Le contesté que le respondería en unos pocos días más porque quería pensarlo. Una sonrisa de complicidad pasó por el rostro oliváceo y ladino del capitán. Por un momento me cruzó la sospecha de que estuviera enterado de cómo transcurrían mis noches en la bodega. Es curioso que esta duda no me produjo la menor inquietud. El gaditano, en alguna forma, estaba integrado, formaba parte sustancial de la historia, si bien jamás mis nocturnos amantes habían hecho mención del barco, ni de su dueño, ni de la travesía, ni de los incidentes de la misma.

"Esa noche Laurent, antes de despedirse en la madrugada, me dijo algo que decidió mi destino: 'Sigue en el barco, Larissa. No nos abandones. Es posible que, a medida que nos alejemos de estos parajes, nuestras visitas vayan siendo menos frecuentes. Pero siempre volveremos y sólo por ti seguiremos existiendo.' Quise preguntarle algo que me intrigó mucho en ese instante: se refería al plural que había usado y que dejaba suponer que sabía de la existencia del veneciano. Nunca hablé del otro con ninguno de los dos. El coronel se limitó a llevarse el índice a los labios que sonreían cariñosamente como quien calla a un niño para que duerma. A Zagni sólo lo vería cuando zarpásemos de Mallorca. Me di cuenta, en ese momento, de que nada tendría que preguntarle. Las palabras de Laurent respondían por él en forma que no dejaba lugar a más aclaraciones. Fue así como, al día siguiente, le confirmé al gaditano que estaba resuelta a probar fortuna en el Caribe y que aceptaba su oferta. 'Me complace mucho saberlo –contestó muy serio y ya sin ninguna muestra de complicidad–. Nos hubiera hecho mucha falta a bordo. Ya estábamos acostumbrados a su compañía. Usted forma parte del *Lepanto.* No podemos imaginarlo sin usted.' De nuevo ese plural, que bien podía simplemente incluir a la tripulación y al barco mismo, al que él aludía como si fuera un viejo compañero. Sentí, sin embargo, una leve inquietud difícil de precisar y que, ahora lo descubría, me acompañaba desde cuando puse por primera vez los pies en el *Lepanto.* Cuando zarpamos de Palma tuvimos pésimo tiempo durante los dos primeros días. Al descender por la costa de Málaga vino la calma y el barco dejó de dar esos bandazos que amenazaban con hundirlo a cada instante. Una noche, cuando no se divisaban ya las luces de la costa, Zagni vino a visitarme. Antes de comenzar el rito de su procesional, intensa y callada lujuria, me dijo, con formalidad que evidentemente era sincera y reflejaba sus sentimientos: 'Veo con inmenso placer que ha resuelto acompañarnos en esta aventura hasta las Indias. Era la única oportunidad que me quedaba de seguir andando por el mundo. Tal vez no venga con la frecuencia de antes, pero no dejaremos de encontrarnos de vez en cuando. La gratitud, cuando es tan absoluta, no se expresa con palabras.' Comenzó a acariciarme con la pausada fiebre de quien regresa a la vida.

"A tiempo que nos alejábamos del Mediterráneo, tras haber cruzado el estrecho de Gibraltar, las visitas de mis dos amantes se fueron espaciando. Pero lo que más me intrigaba y producía una punzante ansiedad era la mudanza, apenas perceptible al comienzo, de su trato. Cambio cuya naturaleza me es imposible precisar. Sus gestos seguían siendo los mismos, idénticas sus caricias, pero cada vez estaban más ausentes del rito amoroso, al que no solamente me habían acostumbrado sino del que no podía ni siquiera pensar en perderlo sin perder, al mismo tiempo, la vida. Tanto Laurent como Zagni eran cada noche más parcos en sus palabras. Éstas iban perdiendo su densidad y, luego, hasta su sentido. No parecían dirigirse a mí, en particular, sino a alguna imprecisa criatura apenas relacionada con ellos a través de esos episodios amorosos que, sin perder su ritmo, no me transmitían ya la indispensable certeza de ser yo la partícipe única e inconfundible de los mismos. Cuando pasamos frente a la península de la Florida y entramos al mar Caribe esperé en vano la visita de mis amigos. Al salir de Kingston, donde tuvimos que permanecer varios días mientras arreglaban las vías de agua que iban en aumento y hacían peligrar el *Lepanto*, se anunció la cercanía de un tornado. Esa noche vino a verme Zagni. En palabras apenas inteligibles me explicó en forma críptica que no creía poder perdurar mucho más. Carecía de fuerzas para afrontar la prueba que se avecinaba. Fue la única vez en que mencionó, con todas sus letras, el nombre de Laurent: 'El coronel Laurent Drouet-D'Erlon no está ya entre nosotros. Yo he logrado permanecer por más tiempo, tal vez porque quienes hemos nacido en la laguna poseemos ciertas virtudes de supervivencia en estos climas.' Me acarició los senos con tristeza de quien nunca más volverá a sentir en sus manos el calor de un cuerpo de mujer que se entrega como testimonio de una dicha compensadora, con creces, del dolor de estar vivo. Se retiró de inmediato con torpe presteza que siempre había estado ausente en todas sus acciones. A la mañana siguiente irrumpió el tornado con un vértigo de destrucción, una furia incontrolable y sin tregua que nos arrojó frente a Cristóbal, con el *Lepanto* a punto de naufragar y sus máquinas por completo fuera de servicio. El gaditano y su escasa tripulación bajaron a tierra. Yo me quedé tirada en el camastro, en la semitiniebla de la bodega, sin fuerzas para moverme y con el cuerpo magullado y entumido después de varios días de una zarabanda enfurecida e implacable. Al otro día nos remolcaron hasta Panamá. El patrón había vendido el *Lepanto* como chatarra. En espera de su destino final, el barco quedó surto en la rada frente a la avenida Balboa. Nunca regresaron por él. Bajé a tierra para arreglar mis papeles en las oficinas de migración. Al regresar al Lepanto, me pasé a vivir al camarote del dueño. Estoy segura de que el gaditano debió creer que había desembarcado en Cristóbal sin despedirme. Pocas semanas después, un nuevo temporal tiró los restos del buque a la orilla de rocas y basura en donde ahora está. No podía dejar el barco. Conservaba, contra toda probabilidad, la esperanza de volver a recibir la visita de mis amigos. Del veneciano, al menos. Pensaba largamente en ellos, reconstruyendo las horas que vivimos juntos, la historia de sus vidas, el calor de sus caricias y su solidaria complicidad amorosa. Cuando se terminó el dinero que había traído de Palermo, Alex me habló de Villa Rosa y me puso en contacto con la venezolana. Así fue como llegué aquí."

Ilona había seguido con intensa concentración la historia de Larissa. En ningún momento intentó interrumpirla y me intrigó sobremanera advertir que su rostro no mostró la menor señal de duda ni de asombro ante la aberrante improbabilidad de los hechos narrados por la chaqueña. Ésta se despidió sin esperar comentarios o preguntas de nuestra parte. Era como si el relato de tan insoportable experiencia hubiera sido bastante para agotar toda curiosidad, todo interés por su persona. Permanecimos largo rato sin saber muy bien qué decir, hasta que Ilona comentó, con voz que me llegó ajena, como nacida de alguien que despierta de una pesadilla abrumadora:

–Pobre mujer. Cuánto debe haberle costado mantener aquí trato con sus clientes y qué torturas debió pasar después de cada cita. Lo grave es que no hay manera de ayudarla. Es como si viviera en otra orilla, a donde no le llegan nuestras palabras. Además, no las conseguiría entender porque pertenecen a un idioma que desconoce. Cada uno de nosotros se labra su pequeño infierno personal, pero ella ha tenido que cargar, además, con el de otros que ni siquiera estaban ya entre los vivos. Mala sombra le cayó a la chaqueña.

Resolvimos apresurar nuestra partida. La historia de Larissa nos había dejado un sordo malestar que no conseguíamos vencer. Longinos nos manifestó su interés por quedarse con el negocio. Prescindiría de la ficción de las azafatas, por cierto ya casi inexistente. Habló con doña Rosa, quien estuvo de acuerdo en traspasarle nuestro contrato. También ella había desarrollado una notoria simpatía por el inteligente y discreto mozo de Chiriquí, con el que tenía a menudo largos diálogos siempre relacionados con el manejo y la vida del negocio por el que Longinos mostraba bastante más vocación y talento que nosotros. La parte que le había correspondido en la repartición de nuestras ganancias le permitía continuar con éxito en la empresa, cuyas riendas hacía mucho tiempo había tomado, liberándonos de algo que nos estaba resultando intolerable. La monotonía de esa rutina era ajena a nuestros principios de perpetuo desplazamiento, de rechazo de lo que pudiera significar un compromiso duradero, una obligada permanencia en no importa qué lugar de la tierra.

A tiempo que continuábamos con los preparativos para salir de Panamá y dejar a Longinos instalado en Villa Rosa, iba en aumento mi preocupación por la forma como la presencia y, luego, la historia de Larissa habían influido en Ilona. Los síntomas no eran muy evidentes, pero para quien, como yo, la conocía bien y había convivido con ella largas temporadas, el cambio no podía pasar desapercibido. Hablar con ella al respecto hubiera sido, además de inútil, bastante inoportuno. Ilona guardaba celosamente su independencia y tenía un cuidado muy inteligente y personal al hacer confidencias a los seres que quería, por los que sentía esa amistad basada en una confianza absoluta y en un tratado de límites tan estricto como equitativo. Sabía que, llegado el momento, ella hablaría conmigo del asunto. Así fue. Pocas semanas después de oír la historia de Larissa, recibimos una carta de Abdul Bashur fechada en La Rochelle. Nos contaba que el negocio del *Fairy of Trieste* progresaba notablemente. Había entrado en sociedad con dos comerciantes sirios a los que conocía desde su juventud. El próximo viaje tenía como destino final Vancouver. Por lo tanto, calculaba pasar por Panamá en una fecha próxima, que nos haría saber por telegrama desde la escala anterior a su paso por el canal. Venían, luego, algunos comentarios sobre nuestras actividades en Villa Rosa, las cuales, sin dejar de remover su puritanismo islámico, le despertaban un travieso humor que mostraba ese fondo suyo de inocencia y gracia tan bien disimulado tras sus artes de mercader levantino. Las noticias de Abdul nos produjeron un alivio muy grande. Nos ilusionaba sobremanera la perspectiva de reunirnos en breve con él. Pero, por otra parte, la carta de Abdul vino también a precipitar la ansiedad de Ilona tal como lo había yo previsto. Una mañana en que desayunábamos en la terraza, planteó el asunto con la reflexiva intensidad que ponía en sus palabras cuando estaba de por medio el campo de sus afectos. Mientras me servía el té, con los gestos ceremoniales que le eran propios para esa ocasión, desde cuando vivimos juntos por primera vez, me comentó usando los registros más bajos de su voz:

–No sé que vamos a hacer con Larissa. Siento que aquí no se puede quedar. Pero llevarla con nosotros sería una responsabilidad tremenda. Tú que piensas.

Con la vista fija en su taza, servía el té con una lentitud que denunciaba su tensa espera de mis comentarios.

–Yo creo –le dije, después de medir bien las palabras que iba a usar– que el asunto es más complejo de como lo estás planteando. Es evidente que si esta mujer se queda viviendo en los escombros del *Lepanto* irá, rápidamente, hacia una disolución física y mental sin remedio. El tiempo de su espera se ha agotado. Frente al abismo, a la nada, se agarra como náufrago al salvavidas, al rescate que significa tu amistad, tu comprensión, tu interés hacia la experiencia inconcebible que ha vivido. Pero lo que veo, con evidencia que me aterra, es que, en lugar de tú sacarla del tremedal que la devora, es ella la que te está arrastrando con una fuerza que ni tú misma estás midiendo. Llevarla con nosotros no arreglaría nada, desde luego. Además no creo que haya nada que consiga sacarla ya del *Lepanto*. Ella *es* ese barco, forma parte de esos despojos tirados en la costanera; hasta tal punto que uno no consigue saber dónde terminan éstos y dónde comienza ella. El problema no es Larissa, ella hace mucho tiempo que prescindió de hacerse ninguna pregunta, de plantearse ninguna duda. El problema eres tú que, sin medir hasta dónde te comprometías, has avanzado a su vera un trecho del camino no sé qué tan largo y por eso no sé si pueda aún existir para ti la posibilidad de un regreso. Sólo tú sabes. Me doy cuenta de que no resulto de mucha ayuda. No sé hasta dónde han ido los lazos que te unen a la chaqueña. Y no sólo hasta dónde han ido sino a qué orden pertenecen. No sé. No sé qué decirte.

Ilona no había probado su té y me miraba con ojos de alarma y desamparo.

–No –contestó–, no he estado con ella en la cama. Si es lo que quieres precisar. Eso no tendría mucha importancia. Me conoces lo suficiente como para saber que no son ésos los lazos que me pueden obligar a cambiar de vida. Es algo más hondo y más terrible. Es una especie de simpatía desgarrada que me hace sentir responsable de lo que le pueda suceder y, lo que es aún peor y más incomprensible, de lo que ya ha padecido. Hay algo en Larissa que me despierta demonios, aciagas señales que reposan en mí y que, desde niña, he aprendido a domesticar, a mantener anestesiados para que no asomen a la superficie y acaben conmigo. Esta mujer tiene la extraña facultad de despertarlos pero, por otra parte, al ofrecerle mi apoyo y escucharla con indulgencia, logro de nuevo apaciguar esa jauría devastadora. Tampoco yo sé, por eso, qué pueda hacer por ella ni cómo dejarla.

Le respondí que, como tantas otras veces en nuestras vidas y en las de todos los seres, la respuesta y la solución que buscamos a los callejones sin salida, las traen el azar, los recodos insospechados e imprevisibles del tiempo. Me di cuenta de que era un consuelo bastante precario el que trataba de darle y que en su infalible lucidez, ella estaba pensando ya en que esas esquinas del tiempo también suelen depararnos el horror inconcebible de sus maquinaciones y sorpresas. Continuamos desayunando en silencio. Era evidente que ninguno de los dos tenía mucho más qué añadir. Lo único que podíamos hacer era proseguir con nuestros planes de partida sin detenernos en algo cuya solución se nos escapaba, tal vez porque no estuviera en nosotros buscarla y, mucho menos, hallarla.

El fin del Lepanto

Larissa siguió visitándonos, pero había suspendido toda cita con sus clientes. Hablaba muy poco y arrastraba un cansancio sin alivio posible; un agotamiento que la mantenía a punto de caer en un largo sueño cuya presencia era cada vez perentoria. Longinos había tomado cuenta de la marcha del negocio en forma tan eficiente y discreta que llegamos a sentirnos como sus huéspedes, siempre bien atendidos pero ajenos ya, por completo, a la vida de Villa Rosa. La farsa de las *stewardesses* pertenecía a la historia. De vez en cuando, nos cruzábamos con alguna bella visitante que nos era desconocida o con algún atildado funcionario de la banca o del comercio que nos miraba como a intrusos cuyo encuentro evitaba discretamente. Reunimos en una sola suma el total de nuestras ganancias y la depositamos en una cuenta con firma mancomunada en un banco luxemburgués que nos había recomendado Abdul. Sólo esperábamos noticias suyas para fijar la fecha de nuestra partida. Sabía que la suerte de Larissa continuaba siendo para Ilona una incógnita lacerante y sin respuesta. Una mañana subió Longinos para hablar conmigo. Noté que deseaba hacerlo cuando Ilona no estuviera presente. Bajé con él, con cualquier pretexto, y me susurró que Larissa quería verme. Esa tarde estaría esperándome en el barco.

Cuando llegué al sitio donde estaba recostada la informe ruina del *Lepanto*, la mujer se asomó por el ojo de buey de su refugio y me invitó a subir. El cubículo que había sido del gaditano mostraba un desorden y una pobreza desoladores. La cama, con las cobijas en desorden, exhalaba una mezcla de perfume barato y de sudor. Un ligero tufo a gas salía de una pequeña hornilla colocada en lo que debió ser antes el estante para mapas y cartas de navegación. Debajo, había un pequeño tanque de propano y algunos trastos de cocina desportillados e informes. Del armario empotrado en la pared, ya sin puertas y apenas cubierto por un trozo de tela, asomaban prendas de vestir que reconocí al instante como las que solía usar su dueña para visitarnos en Villa Rosa. Larissa estaba de pie, recostada en el ojo de buey, mirándome con un aire ajeno como si le costara trabajo reconocerme. No había dónde sentarse. Permanecí en pie mientras ella comenzó a hablar en frases entrecortadas y sin ilación. Mencionó la proximidad de nuestros planes de partida y algo sobre el nuevo giro que tomaban los asuntos en Villa Rosa. Le contesté con vaguedades, en espera de enterarme cuál era el motivo por el que había pedido que fuera a verla. Tras un breve silencio, se dejó caer en la cama y, cubriéndose el rostro con las manos, habló con voz sorda que intentaba contener el llanto:

–Ilona no se puede ir. No me puede dejar aquí sola. Yo no se lo pediría nunca. Usted sí puede decírselo. Por favor, Maqroll, si ella me abandona ya no queda nada, nada, usted lo ve –con el brazo señaló el camarote en un gesto de patético desaliento. No sabía qué responderle.

–Hable con ella –sugerí sabiendo que nada adelantaría con esto–. No se me ocurre ninguna solución por ahora.

Venga a vernos y hablemos juntos. No sé. No creo que pueda ayudarle mucho.

Había vuelto a cubrirse el rostro con las manos. Cuando terminé de hablar movió los hombros con la desesperación de quien se sabe perdido sin remedio.

Regresé a la casa y conté a Ilona mi visita a Larissa.

–Hay que resolver esto pronto. Dejarla en la indecisión la hará sufrir más. Mañana te digo lo que haya resuelto –comentó con la firmeza de quien no desea prolongar un suplicio innecesario.

Nos sentamos en la terraza esperando a que avanzara la noche y nos rindiera el sueño. Recordamos episodios de nuestras empresas con Abdul Bashur y volvimos, por enésima vez, a evocar ciertos rasgos de nuestro amigo que nos conmovían particularmente. Terminamos por rememorar el que mejor lo retrataba: cuando partió bruscamente de Abidjan, a donde habíamos ido para cerrar un negocio de estatuillas de bronce antiguas que nos vendía el jefe de una tribu del interior, sólo para devolver una parte de la descomunal ganancia que hiciera en un transporte de peregrinos de Trípoli a la Meca. "El hombre que contrató el viaje –nos explicó– es un santón inocente que aceptó la primera suma que mencioné. Voy a devolverle la mitad. Así quedaré tranquilo." Le explicamos que eso podía hacerlo más tarde, que su presencia era indispensable en la Costa de Marfil porque nosotros no conocíamos mucho de antigua escultura africana. No hubo manera de convencerlo. Viajó esa misma noche y diez días después regresó con expresión de punzante culpabilidad en el rostro y un humor sombrío. El patriarca había muerto y no dejó ningún pariente a cargo de sus cosas. La comunidad chiíta, a la cual pertenecía, no quiso recibir el dinero de Abdul. "No comprenden mis intenciones –comentó–. Creen que estoy tratando de pasarme de listo con ellos. Voy a donar esa cantidad al leprosario de Sassandra." Así lo hizo. Ese dinero nos hubiera permitido duplicar nuestras ganancias en lo de las estatuas de bronce, porque la pieza principal, por la que nos hubieran pagado más en Europa, no pudimos adquirirla.

Esa noche Ilona estuvo dando vueltas en la cama. La oí levantarse e ir en busca de un poco de aire fresco a la terraza. Era evidente que no conseguía dormir. Cuando desperté, estaba extendida en una de las sillas de lona de la terraza. Se le veía tan cansada que me sorprendió la serenidad de su voz cuando me comunicó la resolución a la que había llegado:

–Nos vamos, Maqroll. Nos vamos de aquí y lo hago sin ningún remordimiento. No voy a hundirme con Larissa. Además, ella hace ya mucho tiempo que está en la otra orilla. No se trata de si tiene o no salvación. Eso no depende de mí ni de nadie que pertenezca todavía al mundo de los vivos. Ella, quién sabe desde cuándo, presidió ya su propio funeral. Te consta que nunca me han gustado, que no he asistido jamás a los entierros. Ya hablaré con Larissa en su momento. No le doy más vueltas al asunto.

Conociendo a Ilona como yo la conocía, no tuve ninguna

duda sobre la entereza de su determinación. Su fidelidad a la vida siempre tuvo algo de felino, de instantáneo y reflejo, donde la razón no jugaba ningún papel. En verdad, no había nada más qué hablar sobre Larissa. No importaba el precio que Ilona tuviera que pagar en su interior. Los dados se habían detenido. La partida estaba jugada.

Longinos adquirió una pequeña camioneta de segunda mano y en ella nos dedicamos a recorrer con él los lugares que frecuentábamos antes y que nos recordaban mis días de penuria y los de súbita prosperidad con la aparición de Ilona. De vez en cuando, nos acompañaba Larissa. Aunque Ilona no hubiera hablado con ella, la chaqueña presentía el veredicto que la esperaba. En estas salidas que hicimos en su compañía, no mencionó el asunto, ni la noté más triste ni más vestal de las sombras que de ordinario. El telegrama de Abdul llegó un sábado en la tarde. En una semana tocaría Cristóbal. Nos esperaba a bordo del flamante *Fairy of Trieste*. En su bodega traía botellas del mejor Tokay. Esa parte del mensaje iba dirigido a Ilona, cuya preferencia por el vino magiar era objeto de frecuentes y divertidas alusiones de nuestra parte. Lo que Abdul no sospechaba, porque lo guardábamos como una sorpresa, era que viajaríamos con él. El día anterior al de nuestra partida, Ilona me dijo que iba a hablar con Larissa. Estaba tranquila, pero se notaba en sus facciones esa rigidez que traiciona el dolor contenido pero aceptado como el precio que, irremediablemente, hay que pagar para seguir siendo lo que somos.

Almorzamos una ligera comida fría en la terraza. Al terminar, fui a tenderme en la cama para dormir una siesta. Ilona se despidió dándome un beso en la frente:

–No será fácil, Gaviero. No sabes cómo duele. Es como golpear a un inválido. Pero no hay otro remedio. *Les jeux sont faits*.

La vi desaparecer por la puerta con el andar elástico de sus largas piernas y el balanceo de los hombros que le confería una perpetua adolescencia. Me quedé profundamente dormido. Cuando desperté ya casi era de noche. Sentí la cabeza pesada de tanto dormir. El calor había aumentado notablemente, como sucede siempre cuando se aproxima la lluvia. Era la primera tormenta de la temporada. Lejanos relámpagos iluminaban el cielo con una fulgurante y operática intermitencia. Los truenos apenas se escuchaban, pero era fácil advertir que se iban acercando. De repente, Longinos irrumpió en mi cuarto con una expresión aterrada y el rostro bañado por las lágrimas. Apenas podía hablar:

–La señora, mi don, la señora, venga conmigo.

Temblaba como un animal acosado. Me vestí con lo que tenía a mano y subimos a la camioneta.

–Déjame conducir –le dije–. Así no puedes.

–No señor –me contestó un poco más controlado–, usted no tiene licencia. Yo puedo hacerlo. Vamos.

En el camino lloraba sin parar y no pudo explicarme nada. Llegamos al sitio donde había estado el *Lepanto*. Un grupo de curiosos rodeaba un pequeño montón de cenizas que los bomberos escarbaban, ayudados con linternas de mano. Los haces de luz recorrían hierros retorcidos, maderas carbonizadas cuyos muñones surgían entre las piedras de la orilla y los bloques de cemento ennegrecidos por el incendio. Me acerqué a uno de los bomberos y le pregunté qué había sucedido:

–Estalló el tanque de gas que la loca esa tenía en el camarote. A quién se le ocurre. Voló todo en pedazos. El incendio fue instantáneo. A ella ya la encontramos. Pero parece que había alguien más.

De repente me miró con aire intrigado. Longinos se me adelantó:

–No, el señor no la conocía. Yo sí, aquí estaré por si puedo ayudarles en algo.

El bombero no pareció prestar atención y volvió a su tarea.

–¡Aquí está, aquí está! –oímos que alguien gritaba entre los escombros. Unos instantes después un bombero pasó frente a nosotros, cargando en una sábana agarrada por los cuatro extremos un bulto informe y carbonizado. De la sábana, sucia de barro y ceniza, goteaba un líquido rosáceo que apenas manchaba el pavimento. El bombero que había hablado con nosotros se acercó a Longinos:

–Venga más tarde al anfiteatro para ayudarnos a identificar los cuerpos. Va a ser muy difícil. Están casi totalmente carbonizados. Pero tal vez algo pueda encontrarse: papeles, alguna joya. Déme su nombre y su dirección.

Longinos se los dio. El oficial tomaba nota en una cartera que sacó de un bolsillo de su camisa.

Contemplábamos atontados lo que quedaba del *Lepanto*.

Los curiosos se fueron dispersando. Quedamos unas cinco o seis personas. Oí el inconfundible golpeteo de una pierna ortopédica en el pavimento. Volví a mirar. Era el portero del Astor que se perdía en las sombras de la calle de enfrente. Entonces vine a recibir de lleno el golpe de lo sucedido. Todo había sido tan repentino que hasta ese momento había actuado en forma refleja y ausente. Longinos me tomó del brazo:

–Vamos al bar de Alex, mi don. Tómese algo. No sabe qué cara tiene.

Nos dirigimos hacia allí. En la barra, Alex me sirvió un vodka doble sin hielo. Puso su mano en mi brazo y con voz compasiva que le salía del alma, me dijo:

–Yo sé lo que esto le duele, Gaviero. Cuente conmigo para cualquier cosa. Soy su amigo. Usted lo sabe. Quédese aquí un rato. Lo que quiera.

Fue hacia el tocadiscos y bajó el volumen de la música todo lo que le permitía la animada clientela del establecimiento.

Un dolor sordo empezaba a crecerme en mitad del pecho. Era como un erizo que se iba hinchando, desgarrando todo, sin pausa, sin alivio. Longinos, a mi lado, me observaba con desconsuelo. No sé cuánto tiempo estuve allí. Pasada la media noche, Longinos me llevó al Hotel Miramar. La dueña, también con una simpatía sincera y dolorida, me arregló un cuarto de inmediato. No podía regresar a Villa Rosa. Longinos no quería dejarme solo, pero le insistí que se encargara de las diligencias judiciales. Le pedí también que me trajera luego alguna ropa, un maletín con papeles y una maleta que estaban en mi habitación.

–Al rato vengo, no vaya a irse. Espéreme, por favor –me dijo, con evidente preocupación de que me quedara solo.

–Vete tranquilo –le dije–. No te preocupes por mí. Aquí estoy bien. No quiero ver a nadie. Vuelve cuando puedas.

Se fue un poco más tranquilo. Me tendí en la cama, tratando de mantener la mente en blanco. Era imposible. El recuerdo de Ilona invadía con devastadora avidez cada instante de ese presente detenido, congelado, intolerable. No podía apartar la imagen obsesiva e inconcebible del montón de carne carbonizada que el bombero llevaba en la sábana anónima de una ambulancia; y las gotas rosadas cayendo al piso, mezclándose con las primeras del aguacero que ahora caía con la torrentosa vehemencia de las lluvias del istmo. Ilona muerta. Ilona, muchacha, qué golpe rastrero contra lo mejor de la vida. Empezaron a desfilar los recuerdos. Con los ojos secos, sin el consuelo del llanto, transcurrieron largas horas en ese último intento de mantener, intactas por un momento todavía, esas imágenes del pasado que la muerte comenzaba a devorar para siempre. Porque la muerte, lo que suprime no es a los seres cercanos y que son nuestra vida misma. Lo que la muerte se lleva para siempre es su recuerdo, la imagen que se va borrando, diluyendo, hasta perderse, y es entonces cuando empezamos nosotros a morir también. La ausencia de Ilona, estando ella viva, era algo que conocía muy bien y con lo que estaba familiarizado. Su ausencia definitiva era algo que me costaba tanto trabajo, tanto dolor, tratar de imaginar, que prefería volver de nuevo a los recuerdos. Allí encontraba, aún, un refugio, efímero y endeble, pero, en ese momento, el único al que podía acudir para no caer en la nada.

Longinos llegó con la ropa y los papeles. Había estado en la morgue. Un anillo de Larissa sirvió para identificarla. En opinión de los bomberos, ella había abierto la llave del gas y dejado que éste escapara casi en su totalidad. Era de pensar que la misma persona había encendido algún fuego. La explosión fue tan brutal que fulminó todo en un instante.

–Fue Larissa, mi don. Puta bruja. Nunca le tuve la menor confianza. Esa mujer estaba loca. Le tendió a la señora Ilona la trampa para que no se fuera. Por eso estaba tan mansita en los últimos días.

El pobre Longinos lloraba de nuevo con la cándida entrega al dolor que tienen los seres primitivos e inocentes y que es la única forma de acompañar a los muertos y de hallar algún alivio a su ausencia. Le pedí que se fuera a dormir. Al día siguiente tenía que llevarme a Cristóbal para recibir a Abdul.

En la mañana, muy temprano, ya estaba Longinos esperándome en el vestíbulo del hotel. Fuimos primero al banco en donde teníamos nuestra cuenta. Allí giré el dinero de Ilona a su prima de Oslo que ahora vivía en Trieste. Era la única sobreviviente de su familia. Ilona la quería mucho, pero soportaba con poca paciencia sus observaciones de burguesa convencional que no entendía cómo su prima podía llevar una vida semejante. En el camino a

Cristóbal le expliqué a Longinos cómo quería que recibieran sepultura los restos de nuestra amiga. En una simple lápida de piedra debía poner el nombre, Ilona Grabowska, y, abajo, en letras pequeñas: "Sus amigos Abdul y Maqroll que la quisieron tanto." No hablamos más durante el viaje. Cuando llegamos a Cristóbal un pequeño buque tanque, pintado de azul y naranja, se acercaba lentamente al muelle. Una fea punzada en el pecho me anunció la desoladora tarea que me esperaba: decirle a Abdul Bashur que Ilona, nuestra amiga, no estaba ya entre nosotros. En la proa del navío se alcanzaba a leer ya, claramente, *Fairy of Trieste.*